中华异想集

马腹

ZHONG HUA YI XIANG JI

滕萍

广西人民出版社

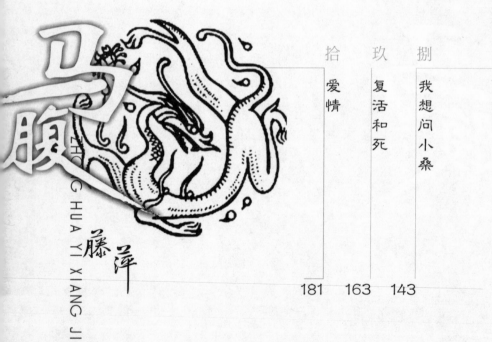

引 失踪

4 月 13 日。

深夜。

古宅。

"新买的茶杯？"温和的中年男人望着同样气质安详的妻子微笑。

"嗯，好看吗？泡碧螺春用白瓷好看些。"

妻子提起泛起细微气泡的热水壶，往白瓷杯里注满开水。丈夫轻敲茶匙，碧螺春那蝌蚪般的茶叶落入白瓷杯里，立刻沉了下去，晕出碧绿清澈的色泽。

"好茶……"夫妻俩面对茶几细细品茶。

身后幽深曲折的回廊里，淡淡灯光之下，地上映着一个清晰的影子。

它的绒毛在灯光和夜风中微微晃动，地上的影子也那么祥和地微微摇晃，仿佛是一只猫或者一只狗那么慵懒悠闲。

但它却有一只狮子或者一只老虎那么大。

前边的夫妻俩仍对着那碧螺春轻声细语，夫妻结婚二十几年，感情依然很好。看这对夫妻温柔斯文的模样，怎么也不像会在家里养老虎的人。

但那影子在回廊里。歪着头，很乖巧的样子。

"你有没有闻到什么味道？"妻子喝完了第二杯茶，有些疑惑地抬起头张望。

"什么味道？"丈夫奇怪地看着她。

"一种……说不出来的……"她正说着，目光突然转到丈夫身后的一个方向，声音顿时哑了。

"细细？"他看着她素净的脸上瞳孔放大，说不上什么表情，像是突然之间全然僵硬，吃了一惊，他背后有什么？一股怪异的感觉陡然在他背后弥漫，他一寸一寸地转过身去，转身之前先把妻子的手牢牢握在手中，转身到一半，猛然转头。

他转头的时候，感觉到一阵微风掠了过来，怀里的妻子惊叫了半声，软倒在他怀里。他突然觉得很冷，好像全身的热都被什么东西抽走了，跟着往前扑倒的时候，他猛地看到了一双眼睛。

一双人的眼睛，长得浑圆明亮，很是漂亮。

他"碰"的一声倒在地上的时候，似乎是跌在一只脚上。

柔软的皮毛和坚硬的爪子并在，腿上发达的肌肉隔着绒绒的皮毛也能感觉到力量爆发的可怕……

　　那是什么东西……的脚……

　　不是人的脚。

　　　　　※　　　　　※　　　　　※

　　一个小时以后。

　　灯光依然温柔而祥和。

　　这对夫妻的门外有人敲门，"顾先生？顾先生？在家吗？我和您商量个事，我是钟啸乐，关于你绣的'还我河山'的绣字……顾先生？"

　　秃着后脑勺的男人用力一敲，那门开了。门里透出淡淡的灯光，却无人应声。

　　他往里一探头，"顾先生？"

　　接着这个人推开门战战兢兢地走了进去，进去不久只听他吓得大叫一声，但过会儿又安静下来。半个小时之后，他慢慢踱了出来，东张西望犹豫了很久，终于打了个电话，一辆微型车在十五分钟后开到这一家门口。他和司机两人窃窃私语，合力从这一家里搬出两个大布袋，放上车座，关上了车门。

　　临走的时候，钟啸乐很仔细地关掉了这一家的灯，关好门窗。

　　但他还是过于紧张，以至于在微型车开走之后，没有扣好的门在夜风中微微一晃，"咿呀"地开了一条缝。

　　4 月 13 日阴森森的古宅，古宅里空无一人，这对夫妻俩的女儿去参加学校同学的生日宴会，还没回家。

一　顾绿章

　　钟商市是个典型的南方城市，位于长江下游一个有名的湖泊旁边，长江的一条很小的支流唐川从市中心穿过。

　　这条市心河的两岸是钟商市最重要的商业街：中华南街和中华北街。将中华南街和中华北街十字对穿的是唐川桥和连接唐川桥两端的风雨巷，听说这条小巷从清朝初年就存在，到现在已经有几百年的历史了。

　　青石板的小路自唐川桥的东边延伸过去，到最末端有一家店铺。

　　那店铺明明是个红色，有飞檐碧瓦。店门口挂了许多锦缎，铺里桌上也堆着许多花色各异的布匹，连那刻字招牌"顾家绣房"都是红木金字，但整个看起来就是有些发暗。

　　店铺背后是顾家古宅，还是清末的建筑，里头花木长得高出了围墙，红砖墙上爬满了藤蔓，气息十分清新。也许是映着背后庞大的顾家古宅，这绣房显得小而发暗，但又或者是主人故意让它发暗，那些各色明艳复杂的花纹就在色泽不明的绸缎锦绣上出奇的鲜明。猛一看这店暗红古老，再一

看，便觉得满店是那五色丝线的精魄。这店铺并非为人存在，而是为那数百年数千年流传下来的五色针线的魂魄而存在的，连店里的呼吸和空气，都是属于它们的。

这一家叫做"顾家绣房"，从属于苏绣的一支，这店和古宅听说清初康熙帝的时候就有，一直传到今天，已不知是第几代和几百年了。

心心复心心，结爱务在深。一度欲离别，千回结衣襟。结妾独守志，结君早归意。始知结衣裳，不如结心肠。坐结行亦结，结尽百年月。

她在乌木板门口刺绣，绣的是一条围巾。那围巾以锦制成，紫色为主，绣着一枝茶花。紫色自深紫到微蓝过渡，在浅色到微蓝的时候一枝茶花如带着一圈光晕那般探了两个枝头出来，叶色翠绿明亮，花色青白而微黄，枝干虽然纤细而不失苍苍，是一条极尽精细的围巾。她正在上面绣一行小字，那是孟郊的《古结爱》。

这条围巾，她要送给去年在唐川边因为救人而不幸摔下河堤死去的男友桑国雪。而她是钟商市钟商大学汉语言文学系二年级的学生，是顾家的女儿，姓顾名绿章。外祖父母已经去世，祖父母在三十年前的某次意外中失踪，偌大的顾家绣房，如今只剩下顾绿章的父母顾诗云和顾绲绲在支持着这个延续了数百年的家。

淡淡的四月阳光下，她肤质温柔、眸色清晰，纤细的眉线随眼瞳弯曲，浅浅的唇色在阳光之中泛着润泽，看着绣针绣线的眼色平静、清晰、温柔而专注。认识她的所有人都说，绿章是一个温柔的人，在一起很平静，感觉很放松、没有压力。她很定性，从不干扰别人的思维和决定，喜欢安静，当然也不讨厌热闹，只是如此而已。

一转眼，国雪已经去了一年了。她停下针望着门前的青石板路，顾家绣房位于钟商市最古老的小巷风雨巷末，左右都是同样古老的民宅，有灯笼店和绳结店。顾家绣房是其中不起眼的一座，但店后的顾家古宅却是风雨巷中占地最广的一座，它曾有过辉煌。

风雨巷里的青石板早已残缺不全，曾经有过的被板车压出的车轮槽如今竟也渐渐磨平了，剩余的青石闪着被千磨万磨之后比玉还光滑的光泽，阳光照在上面，出奇的温柔寂寞。

今天是星期一下午四点，这个时候没有什么行人。钟商大学就在风雨巷口左边，她今天没有课，后天是国雪的忌日，想回来把这条围巾绣完，烧给国雪。想绣这条围巾还是国雪在的时候的事，那时候想给他贺生日，如今却剩了忌日。

"绿章。"顾诗云拿着一个盒子从绣房里走了出来，"我晒晒这个漆盒，帮我看着。"

"好。"

　　顾诗云把从绣房深处翻出来的古漆盒搁在晒得到阳光的桌面上，"这是你妈从仓库里找出来的，康熙朝的东西了，两百多年了。"

　　"这是什么？"她放下围巾，讶然看着顾诗云放在桌上的漆盒。

　　那漆盒乌黑亮丽，擦去灰尘仍像新的一样，三十厘米乘以五十厘米的模样，高度只有五厘米。盒面上不知以什么工艺画着一只怪物，那东西长着一张人脸，却是老虎的身体、满身条纹，那张人脸是一张长吁短叹的书生脸，双眼愁苦。微微动一下盒面，老虎的条纹和人眼闪闪发光。

　　"不知道，你看里面。"顾诗云把漆盒打开，里面是一件裙摆，那件裙摆富贵灿烂，掺杂了许多金线银线，底色是翠绿色的，金线绣着的正是盒面上的怪物，只是绣了一半，怪物刚刚绣成，旁边的艾云竹子却还未完成。"这种图案，我们家几百年的绣品生意做到今天，也很少见。"

　　她把裙摆仔细铺开晒晒太阳，"真的很奇怪，妈妈从哪里翻出来的？"

　　"仓库最里面那个大木箱被白蚁蛀了，你妈正在整理。"

　　"是吗？妈那里要不要我帮忙？"

　　"不用了，你绣你的，你后天要去扫墓我知道。"顾诗云对女儿笑笑，拍了拍她的头，"国雪是个好孩子。"

她淡淡一笑，国雪是个好孩子，为了救人而死，真像他的为人。他是钟商大学电子计算机系的学生，成绩优秀心地善良，生前如此，死后只给她留下唯一一张相片。拾起针线继续刺绣，她刚刚绣完"结妾独守志"那一句，刺下"结君早归意"第一针，不免微微吁了口气。

"绿章。"隔壁有人开门探头出来叫了一声，那是栋民国时期的别墅，中西合璧得十分完美，开门出来的是个短裙长靴的女生，"喂，今天沈方生日，你去不去 Party？"

她抬起头，隔壁的女生是她同校同学罗瑶瑶，"我不去了……"

"去啦去啦，我要去，你怎么忍心让我一个人去？我和你那么好……"罗瑶瑶过来一把拉住她，"绿章。"

"国雪的围巾我还没有绣好……"她被罗瑶瑶搂得摇摇晃晃，"而且沈方我也不熟……"

"就是不熟才拉你去认识。"罗瑶瑶认真地说，"国雪都已经死一年了，还整天国雪、国雪的。我知道国雪是很好，不过人不能在一棵树上吊死，今天和我去认识帅哥跟后天你去给国雪扫墓有什么关系……"她挽住顾绿章的手臂，"国雪是不能忘记的，帅哥也是要认识的，就是这样子。"

绿章看着她微笑，"那等我收拾东西换衣服。"

罗瑶瑶挥挥手，"快去快去。"

顾绿章收起刺绣的用品，往顾家古宅里走去。

望着她的背影，罗瑶瑶耸耸肩。绿章看人的时候特别温柔认真，刚才被她一看，罗瑶瑶差点改口说"算了、算了，你留下，我自己去"。

国雪啊……留下绿章一个人先走了，你真的是……他妈的太过分了。

罗瑶瑶踢了一脚青石板上的沙砾。

顾诗云的脾气也很温和，"晚上不回来吃饭了吧？"

罗瑶瑶对顾爸爸灿烂地笑，"不回来了。"

过了一会儿，顾绿章穿了套白衬衫和青裙子出来，罗瑶瑶直叹气说："又不是去上班。"然后拉了绿章就往学校走，"顾爸爸再见。"

"好好玩，别太晚回来。"

"OK!"

❉　　　　❉　　　　❉

距离钟商大学艺术中心西餐厅不远，就听到里面喧哗的声音，有个女生激情洋溢地在唱"十个男人七个傻八个呆九个坏……"边唱边在西餐厅里大笑，气氛很热闹。罗瑶瑶推了她一把，"帅哥就在里面。"

沈方在钟商大学颇是个奇人。大一刚入学的时候大家知道通信工程系有一个沈方，那是因为他表演魔术，逃生魔术表演得像模像样。然后，钟商大学刮起了一阵"沈方"热，却是因为他竞选校学生会长，凭借一句"敢做敢挨骂，方成正果"当选。这个人长得帅气也就罢了，竟然还上至学校活动策划下至跑步跳远唱歌跳舞无一不强，顺理成章地成为学校女生追逐的对象。

她和沈方其实并不认识，国雪和沈方打过球，听说沈方四处夸赞国雪的球技，而国雪这个人，无论做什么从来不会输给别人，就连救人也是。罗瑶瑶拽着她走进像烧开了锅一样的西餐厅，那里面有个很小的舞台，今晚上艺术中心西餐厅被通信工程系包下来了，里面人山人海。

"你们统统都给我去死！"

她刚刚踩进门，骤然那个女生话筒被抢，有人中气十足地喊了那么一声，底下大家哄笑起来，那女生把话筒抢回去，爆笑地往下唱"还有一个人人爱，姐妹们，跳出来……就用甜言蜜语把、他、骗过来，好好爱再把他飞出来……"

"哈哈哈哈……"西餐厅里人人爆笑，顾绿章和罗瑶瑶找了个地方坐下，只见那抢人话筒的人穿着黑色的毛衣，戴着黑色毛线的帽子，那帽子盖到眉毛上面。他脸上被人摔了奶油还没擦干净，顶着一张花猫脸，还沾了一头彩色纸星星和彩带的碎屑。罗瑶瑶捶着顾绿章的肩头大笑，"我就知道……哈哈哈……这个人超级可爱，我强烈推荐给你认识，一定要认识……"

这时候台上做司仪的一个女生拿着另一个麦克风，"沈会长，我们知道你有个好朋友叫桑国雪。"

戴着帽子、正在用羊毛袖子擦满脸奶油的沈方点头。

顾绿章微微一怔，她没想过在这样的场合会听到国雪的名字，心里微微一跳。只听那女生拿起一枝白菊花给沈方，"我们也知道你的这位好朋友在去年的后天，因为意外去世了。这里我们替你准备了一枝白菊花，你想对桑国雪同学说什么？"她把白菊花交给沈方，把麦克风对着他。

这时候热闹嘈杂的餐厅里寂静下来，沈方把奶油擦在黑色的羊毛线衫上面，脸上和衣服上一样一塌糊涂，他对麦克风很认真地说："啊，国雪，你寄养在我家的鱼被我养死掉了，我后天拿去还你。"

餐厅里一愣，原本有点哀戚的气氛顿时荡然无存，又哄笑起来。连顾绿章都"扑哧"一笑，台上的司仪又说："这样，让我们永远怀念桑国雪同学。沈会长，我们也都知道，桑国雪同学有一样东西是你比不上的。"

沈方问："什么？"

女司仪说："他有一个温柔、贤妻良母型的女朋友。"

罗瑶瑶正在喝水，闻言呛到，"咳咳……"

顾绿章给她拍背，睁着一双温柔清晰的眼睛看着舞台，只听沈方斩钉截铁地说："我绝对不会输给他的。"

"那么沈会长，你的女朋友在哪里？"台上的女司仪开始忍不住地笑，"你要注意，我们知道会长要找一个女朋友很容易，但是要找一个好女朋友，像顾绿章那样的女朋友是很困难的……"

"总而言之，我绝对不会输给他的！"沈方说，"顾绿章是谁？"

女司仪呛到，全场轰然大笑。罗瑶瑶笑到不行，拉着顾绿章拼命摇晃，伏在她背上发抖，"哈哈哈哈，哇哈哈哈……你快去说你就是顾绿章……今晚没来会后悔……"

"总而言之，你们等我，今年我一定找到一个温柔贤惠的女朋友！"沈方毫不犹豫地踩进司仪布下的陷阱，"绝对不会输给国雪！"

这个人是很容易被激，又热情洋溢、充满自信。绿章凝视着那个信誓旦旦"绝对不会输给国雪"的人，心里有些好笑，也有些感伤，如果国雪还在，身边有这样的朋友，其实是件很幸福的事。

"大家都听见了吧？沈会长说今年一定找到女朋友，在座的女生赶快回去准备，男生眼睛放亮点，有什么好女孩早早抢走。这样，要是到了明年今天，会长还是没有女朋友，你怎么样？"女司仪把麦克风递给沈方。

"要是我明年生日还找不到女朋友，我就请你们去哈根达斯冰淇淋店吃火锅。"他说。

"哇！"全场大笑之后，有人开始喊："沈方啊，这样你叫我们是希望你找到女朋友好呢，还是希望你永远找不到的好？"

"哇！沈方大手笔啊！哈根达斯那冰淇淋火锅两百八十多元一小锅吧？"罗瑶瑶摇晃顾绿章的手臂，"他要真找不到女朋友，保管明年此时倾家荡产，哈哈哈……"

"怎么会呢？"绿章微笑，"像沈方这样的人，怎么可能找不到女朋友？"这样的人，看着都开心，爱慕他的女生想必很多。

"你没听他们说要找一个'像顾绿章那样'的女朋友，你以为像你这样的女朋友很多吗？"罗瑶瑶掰指头数，"你又会做饭、又低调、又温柔、又体贴、又不孤僻、又不古怪，你不知道在男生宿舍那边你是他们心目中女朋友的第一人选吗？"

"是吗？"顾绿章像姐姐般温柔恬静地看着她，"国雪说我很固执。"

罗瑶瑶干笑了一声，"当然……他们不知道你很固执，又很……那个啦……"

"那个什么？"

"太有主见的女人很难被感动啦，"罗瑶瑶嘀咕，"那个啥？那个死心眼啦、太客气啦、不肯说心里话啦。总而言之，你其实是个很冷的女人……"

绿章"扑哧"地笑了出来，"那说得也是。"

"沈方找个外在像你的女朋友就好，性格也像你的话，只有一年万万追不来。"罗瑶瑶在她耳边悄悄地笑，"国雪和你从小学就是同学，说实话，他追了你几年？"

她又笑了出来，拍拍罗瑶瑶的头，"猜错了，主动的是我。"

"哈？"罗瑶瑶傻眼，"是你追他的？不会吧？"

她比画了一个八的手势，"我等他八年，从初中，一直到大学。"

罗瑶瑶突然一时不知该说什么好了。绿章是个很静的人，很少倾诉什么，往往是耐心静听别人倾诉的对象，从没想过温柔安静的她，也有过暗恋的心情。要说什么呢？面对顾绿章的微笑，她有种对不起朋友的感觉，为什么她从不知道……绿章的心情？

"等一下！顾绿章到底是谁啊？"闹哄哄的舞台上，沈方抓住主持完毕打算溜掉的司仪，"我要去看一下她到底长什么样。"

"喏，她在那里。"司仪往舞台底下乱七八糟的沙发和人群里一指，拍拍他的帽子，"沈会长，祝你失败，我们等着你明年的哈根达斯。"

她这么一指，餐厅里人人侧目，虽然嘴里也在议论自己的八卦，但都带着惊讶的眼神，顾绿章不是通信工程的人，居然也坐在这里？

沈方看着坐在人群里的那个白衬衫的女生，灯光的阴影下她的眼睛鼻子全都看不到，只看到很纤细的唇的边缘在灯光下泛着润泽的一点点光，他突然啊了一声，"是你？"

是你？顾绿章讶然，沈方认识她？

"我昨天梦见你了……"

沈方一句话没说完，周围纸巾纸筒蛋糕甚至水果纷纷往他身上飞去，许多死党都在座位上爆笑，还有人喊："沈方，梦中情人啊，快说你是我的白雪公主，哈哈哈……"

"哎呀，我的天，沈方笑死我了，他昨天梦见你了……哎呀，不要和我说话，我笑到肚子痛……"罗瑶瑶抓着顾绿章笑得全身发抖，不管沈方认识"顾绿章"这个人的时候说什么都没有"我昨天梦见你了"那么欠揍。

"喂，"他从舞台上过来，"我说真的啊，我真的梦见你了。"

走近了，顾绿章才看清楚，沈方的头发有些卷，眉毛淡淡的，一双眼睛却很动人，长得清爽利落，一看就知道是很活跃的人，和国雪完全不同。闻言，她微笑，"真的吗？"

"真的啊，"他和人自来熟，一屁股坐在她对面，"我梦到我走在一个八层楼那么高的房子里，房子在倒塌，你和我在一起，到处都是沙子木头灰尘什么的，我们都没有鞋子穿，不知道被什么人追杀，到处逃来逃去的。"

"人家说做这种梦是因为你想上厕所。"罗瑶瑶在旁边插嘴，还在有一阵没一阵地笑。

"喂喂喂，就算我想上厕所，可是我梦到一个活人，而且我以前不认识她，好奇怪啊……"他指着顾绿章，"我梦到她穿着一身红色的衣服，上面绣桃花的。"

罗瑶瑶摇头，"她是国雪的女朋友，你肯定见过她，只不过你忘记了。"

她刚说了一半，顾绿章插了一句，"我真的有件衣服是红绸绣桃花的。"

沈方一乐，"我说梦到了吧？ Yeah！"他对众人比画胜利的手势，环视一圈，得意洋洋。

顾绿章实在觉得有些奇怪，她的确是有件红绸桃花的衣服，那是她的睡衣，不可能穿出来让人看见的。难道说沈方真的能在梦里梦见不认识的人？巧合吧？正在沉吟，突然沈方对她露出灿烂的笑容，"后天国雪的忌日，要不要一起去？"

能记得国雪忌日的人不多，能想到去扫墓的人……那更是少之又少了。她看着眼前热情洋溢的黑眼睛，微笑说："一起去啊，钟商山还是有点远的，要带午餐去。"

"不用，我骑车带你去。"他开口说。

"可是我不会跳车，也不会坐人车后面。"她说。

"不要紧。"沈方的死党好多人凑过来听八卦，有人插嘴说："他那辆车是三轮车。"

"哈？"罗瑶瑶刚喝了一口饮料喷了出来，沈方同宿舍的男生很大方地说："是啊，他那辆三轮车专门在开学的时候帮人带行李回宿舍，也帮忙载矿泉水的，你们以后如果需要打个电话过来就行。""我们这位会长，"他拍了拍沈方的肩，"你别看他这样，车技还行，带过差不多两百斤的矿泉水上坡。"

“是吗？”顾绿章微笑说，“那到时候麻烦你了。”这个人既单纯又热心，他在的时候即使是晚上，也感觉像整个阳光在他身上发光，仿佛他的背景永远是蓝天、绿树和白云。

“那么说定了，你的手机？电话？QQ号，还有MSN，热狗……”沈方拿出手机来记录顾绿章的资料。

如是，顾绿章认识了沈方，那时候她和他都没想过，在那以后会发生那么多，让彼此甚至更多人一生不能忘记的事。

❋　❋　❋

当天的晚上，顾绿章和罗瑶瑶一起走回家。

从钟商大学走到顾家古宅只需要十分钟的路程。刚刚转过拐弯角，绿章的心里突然兴起了一股奇异的感觉，停下了脚步。

“绿章？”罗瑶瑶跟着她停下，“怎么了？”

“没，你有没有觉得，我家有点奇怪？”她望着漆黑一片的顾家古宅，“现在十点，为什么家里没开灯？”

“是哦，难道你爸妈这么早就睡了？不可能啊，还是出去了？”罗瑶瑶说，“喂，你家门没有关……”

当罗瑶瑶说到“你家门没有关”的时候，顾绿章蓦地变了脸色，快步往家里跑去，猛地拉开虚掩的大门，“妈？

爸？妈？"

"顾爸爸？顾妈妈？"罗瑶瑶只怕她家里遭遇了什么入室抢劫的强盗，跟着她冲进顾家。随着顾绿章"啪啦"拉开电灯，只见顾家庭院一片宁静，花草依然道路整洁，仿佛什么都没有发生过。

顾绿章愣了一愣，"妈？"她走上厅堂去开灯，灯光一亮之下，客厅太师椅中间的茶几上，冲过茶的茶壶茶杯留着灯光的影子，一个茶杯、两个茶杯、三个茶杯……她的心一下子沉了下去，有访客？"妈？爸？妈？"她和罗瑶瑶往各个房间寻找开灯，却杳然没有顾家夫妻的人影。

家里只有桌上两三个茶杯，杯里茶水都没有喝，平静地在白瓷杯里亮着橙黄碧绿的颜色，早已凉了。

"喂，绿章你爸妈是不是看到小偷出去追贼了？"罗瑶瑶觉得这一瞬间顾家古宅的气氛诡异得让人毛骨悚然，勉强笑了一下，"等一等就回来了。"

"小偷？"她蓦然抬起头，往客厅一角的储物柜看去，那里搁着一个漆盒，歪出了柜面半边。

"那是什么东西？"罗瑶瑶已经比她快一步地走过去，打开盒子，"空的。"

顾绿章走过去捧起那个盒子，盒面的怪物依然闪闪发光，盒子里却空着，里面绣着怪物的裙摆就像迷散在这一屋诡异的气氛里，无影无踪了，就像盒子里从来不曾存在过那么一件东西。"不见了……"她低声说。

"什么东西不见了？"罗瑶瑶倒抽了一口气，"绿章，你家里可能真的来了贼了，而且应该是……认识的吧？"

"我不知道。"她迷茫地摇了摇头，"本来有一件绣品，现在不见了。"

"报警吧！"罗瑶瑶胆寒地东张西望，"我觉得你家里……现在寒风飕飕的，这么大一栋房子，没人好恐怖……"

"我等他们回来。"顾绿章露出一个虚浮的微笑，"你先回家吧，我想他们只是出去了，很快就会回来，回家去吧，很晚了，你爸要担心了。"

"晚上要是真的没回来，一定要报警。"罗瑶瑶说，"不过我相信没事的，别担心。"

罗瑶瑶回家去了。

顾绿章一个人站在每间房间都点灯的屋里，因为点了灯，所以灯外的黑暗更浓而没有边际。四月夜里的寒风吹来，她望着大开的门口，那寒风吹得刻骨冰凉，为什么她觉得今天晚上……是一个很恐怖的夜？

三十几年前，她听说爷爷和奶奶也是在一个深夜，做完了最后一顿晚餐，穿得整整齐齐出门去了，在那之后就没有回来。

难道爸爸妈妈……难道……

她不敢多想，茫然一个人站在黑夜里，觉得家里……非常可怕。

二　沈方和桑菟之

4月13日夜十一点半，顾家绣房夫妻被发现失踪，随同失踪的还有原本放在顾家一个画有人面虎身怪物图案的漆盒里的一件未绣完的裙摆。这是顾绿章隔天报警之后，警察所能查到的线索，警察来调查了一整天，案件没有丝毫进展。顾家夫妻就像在人间蒸发，连那可疑的第三个茶杯究竟是谁喝的，当夜有谁来过顾家，都没有半点线索。茶杯上没有指纹，并没有人喝过。

下午六点。

警察来调查了一整天，她终于把各种各样的警察送出了门，天又要黑了，一股惊悚的感觉泛上心头……她现在害怕……一个人……

脆弱的情绪水漫般缓缓掠过，她深吸一口气，想起国雪。

如果是国雪的话，他绝对不会这样。想到国雪，她仿佛突然间坚强了起来，正在这时，手机响了。

"喂？"

"绿章啊，我是沈方。"

她一怔，"沈方啊，国雪那是明天……"

"开门啦。"沈方的声音在手机里依然充满热血青春的明朗感觉，入耳就仿佛觉得这个世界很美好，空气里没有任何污染。她"啊"了一声，转过身打开门闩。一个人一伸手把一个东西戴在她头上，那是他的羊毛帽子，"来来来，我带你去认识一个人。"

"啊？"她吓了一跳，即使是国雪也从来没有对她有这么亲热的举动，"什么……"

"我带你去认识一个人，他会占卜的，说不定能知道你爸妈在哪里。"沈方一手把她从屋里拉了出来，"跟我来，他住得和你家很近。"

"占卜……"她并不怎么相信占卜，虽然沈方脸上的表情生动得仿佛让人不能不信，"可是……让我关一下门。"她无意和沈方辩驳占卜的可信度，他满脸的善意，仿佛一听说顾家出事就匆匆地跑来了。

"你赶快关，我不知道他在不在家。"沈方催她赶快关门，好像她关得慢一点，那个会"占卜"的朋友就会长翅膀飞了。

她锁上铜雀锁，长柄钥匙放在口袋里，"要去哪里？"

"很近的啦。"沈方拽着她的手，"我带你去认识一个很神奇的男人……他肯定知道你爸妈在哪里，他会占卜，很灵的哦。"说着拖着她往风雨巷中一条特别狭窄曲折的小巷里钻。这条小巷纵然是顾绿章在风雨巷里活了二十年，也从来没有进去过。

两侧都是长满青苔的灰砖，青苔上滴着水珠，小巷的两边偶尔有些木门，但多数已经废弃，尽头是一间门很窄小，石头墙砖的小屋。

沈方把她拉到门口，到了门口她已经听见里面的钢琴声，里面有人在弹琴，边弹边唱，唱的那歌一入耳，顿时让她全身毛孔竖了起来，像极寒，又像是心立刻随着那声音跳了，像极不堪听，却又极好听。

那是一个很年轻的男生的声音，低低地唱："算一算时间，认识他也好几年，看一看身边，好朋友都有好姻缘，只剩下我……只剩下你，还继续苦守寒窑，一等十八年……有些事……急也没有用……我了解。我不想人老珠黄才被人送作堆……"

绿章全身的鸡皮疙瘩都起来了，但并不是因为可怕，而是唱这歌的声音让她不忍听也不敢听，好凄厉……沈方对她露出一个毫无芥蒂的灿烂笑脸，指了指里面，"他是传说中美丽的 Gay。"

她还没来得及说什么，里面的声音刚唱到"人老珠黄"就已经哑了，唱到"才被人送作堆……"已唱不下去，沈方一伸手就推开了很简单的木门，她一眼望去，正好看见对着

钢琴的男生以手捂着脸。

他不是在哭。

他的眼睛在笑。

眼睛里泛着亮光。

但他在笑。

绿章从来没有想过世界上竟然存在这样的男生，他以手捂着脸只露出眼睛笑的时候风情万种，声音却已哑了。

看到沈方推门进来，这个男生没有觉得很奇怪，似乎也并不觉得她被沈方硬生生拉来让他意外，他放下手笑着说："进来关门。"

"他叫桑菀之。"沈方介绍，"钟商大管理学院。小桑很厉害的，他是我们学校篮球校队的前锋，和国雪也是好朋友，又在五百年前是亲戚。"

他也姓桑。她看着这个对自己笑着的男生，怎么看都看不出这个扎着辫子、个子不高，肌肤白皙、长得像个女生的男生会是运动健将，更看不出他和国雪有任何相似的地方。他是一个 Gay，无论从外形还是神态，他都很像她心中想象中的那种 Gay，但或者就是因为他这么风情万种的笑，她并没有觉得他很恶心，只是感觉非常奇怪。"你好，打搅了你唱歌，不好意思。"她说。

他合上钢琴的盖子，这时候顾绿章才来得及把视线从他身上移开，环视了一下桑菀之住的这栋房子。这是栋很古老的小房子，光线暗淡，梁上古老的雕刻还在，但已残缺不全，只有两个房间。桑菀之的衣服没有几件，全部丢在床上，两间房间全都乱七八糟，电饭煲和碗筷蜡烛书本什么全都丢在地上，只有庭院是干净的，他的人和屋里唯一一样值钱的东西——钢琴一起坐在庭院里，周围是杂草和自生自灭的花卉。但桑菀之并不邋遢，他穿的白衬衫外面套着淡色的羊毛衣，不长的头发扎在颈后，整个人干净整洁，从侧面看就像个女生，线条细腻纤柔。

恐怕只有沈方这样毫无心机、粗线条又热情的人才会与桑菀之相处得很好，只怕绝大多数人都不能接受这样一个男生吧？她刚想到这里，沈方就叫了起来，"你家连电视也没有，知不知道顾家绣房出事了？"他和桑菀之很熟，完全不在意他是个 Gay，完全当他是很随便的兄弟那样，这样的沈方让她心头一热，突然觉得他身上的阳光更多了一些。

"失踪？"桑菀之笑的时候让她油然而生一种有一朵花在摇曳的感觉。

"奇怪，你怎么知道？"沈方说，"这位是顾家绣房的顾绿章，国雪的女朋友。她爸妈昨天晚上出去到现在没回来，你能不能占卜看看她爸妈到哪里去了？"沈方边说边皱着眉头在他房间里东张西望，"你到底有没有洗碗？"

桑菀之转过身，面对着顾绿章，"碗，我已经一个星期没洗了。占卜很简单，你叫顾绿章？"

她微微一笑，心情在瞬间低落下来，天这时已经完全黑了，"嗯。"

"你一个星期没洗碗，那你吃什么？"沈方整个人叫了起来，"你有没有搞错？"

"我去外面吃。"桑菟之说，"晚上一起出去吃吧。"

"先占卜，占卜完了我请你们两个吃拉面。"沈方从房间门口跳了回来，"她爸妈失踪得很奇怪，不知道是不是遇到鬼了。"

"鬼？"她真的很诧异，"你相信这个世界上真的有鬼？"

沈方点点头，"小桑说有。"

桑菟之说有，沈方就信？她的目光转向桑菟之，他从钢琴座上站起来，双手插在口袋里笑。

"小桑，"她试着和沈方一样叫他小桑，"你所说的'鬼'，究竟是什么？"

"中国人一直都相信有鬼。"桑菟之说，"不管是人也好，动物也好，其他的什么东西也好，或者是其实什么都没有也好。只要你相信，它就存在，就会有那样的事发生。"

他说得很玄，她似乎听懂了，又似乎没有懂。眉头紧蹙，她问："那么沈方说的'占卜'……"

"呵呵……"桑菟之笑了，"金木水火土，相生相克，占卜的道理是很简单的。你想看吗？"

她清澈的眼睛看着他，眼里是十分的不信。桑菟之从口袋里拿出三个硬币，"占卜的方法有很多种，可以用数字占卜，可以用手指占卜，不过最常见的都是这个。"他把硬币随便往地上一丢，"这是金钱卦，假设菊花的一面是阳，一元的一面是阴，你看现在是两个阴一个阳，《易经》上取舍的方法是以少的为准，所以初卦这是一个阳爻。"他在地上拾了一块石头顺手画了一条直线，"然后重来。"他拾起三个硬币再丢，"你看这次是三个阴，《易经》取物极必反，所以这是一个从阴转阳的阳爻。"他在刚才的直线上又画了一条直线，第三次丢下是三阳转阴爻，如此六次。桑菟之画出来的卦相从下往上是阳、阳、阴、阳、阳、阳。

　　沈方和顾绿章听得面面相觑，似懂非懂，沈方两只手往头后枕，全然没有打算要听懂。顾绿章目不转睛地看着桑菟之画出来的那卦相，只听他说："这是'天泽履'卦。"

　　"她爸妈在哪里？"沈方只问这个，对桑菟之解释的一大堆如何如何选择听而不闻。

　　"'天泽履'卦，卦辞上说'履虎尾，不咥人，亨'。"桑菟之说，"两个动爻，取六三阴爻辞断，卦辞应该是'眇能视，跛能履，履虎尾，咥人，凶。武人为于大君。'"

　　她极认真地听到现在，不得不承认她听不懂，"小桑，你占卜出来的是什么结果？"

"瞎了一只眼睛，能看见；跛了一只脚，能走路；踩到老虎的尾巴，被老虎咬，凶。"桑菀之回答，"但是武人的话，能做皇帝。"

绿章听得一片茫然，沈方"啊"了一声，"这是凶卦。"

"表示遇到了像踩到老虎尾巴那样凶险的事，"桑菀之说，"不过虽然取阴爻是凶卦，有阳爻九二辅助解释，阳爻九二的卦辞是'履道坦坦，幽人贞吉'。被囚禁的人如果道德高尚、坚持信仰，这卦就不是凶卦。"他把硬币收起来，"阴主未来，阳主过去。占卜的结果是：现在处于被囚禁的状态中，只要心性高尚，并不危险；将来可能会遇到多种凶险，但是'武人为于大君'啊……"他笑的时候依然像朵摇曳的花，"如果问卦的人是个'武人'的话，能'位于大君'呢，将来就不一定全是坏事。"

"什么意思？"沈方和顾绿章异口同声问。

"我不知道。"桑菀之耸了耸肩，"武人，就是能和老虎搏斗的人吧，位于大君……也许是说会有个很好很好的结局吧。"

沈方拖过顾绿章，把她抓在桑菀之面前，"也就是说，你没占卜出来她爸妈在哪里，只占卜出来说，他们被人囚禁了，如果绿章不能和那些'凶险的事'搏斗，她爸妈就会很危险，对吧？也就是说如果绿章赢了那些'凶险的事'，她就会有大吉大利的结果，对吧？"

桑菟之把脑后扎着辫子的皮筋拆了下来，"是吧。现在我们去哪里吃饭？我请你们吃川菜。"他把皮筋拆了下来，头发只是稍微到了耳下，他却用发卡把过了耳下的头发倒卡了上去，戴上一顶咖啡色的贝蕾帽，把他有同性恋倾向的痕迹掩饰得干干净净，完全看不出他发长过耳。

顾绿章仍在思考他刚才卜出来的结果，她有些震撼，要是说占卜之说全是不可信的，为什么卦辞却能解释得如此清楚吻合呢？凶卦……她看着桑菟之，这男生个子不高，容貌秀气细腻，骨骼漂亮，是个很奇异的人。她相信他占卜出来的结果，真的相信，如果她能做点什么的话，也许就能找回爸妈，突然之间桑菟之的占卜给了她这样的希望和信心。"我相信。"她微笑了起来，"小桑，谢谢你，我突然觉得……没有那么难受。"她轻咳了一声，鼻子里本有些塞住的声音，现在清朗起来，"走吧，很晚了，去哪家川菜馆？小三排档……"

"小三排档。"桑菟之和她同时说。

两个人同时一愣，笑了起来，"你也常去那里吃？"两个人又异口同声地说。

沈方听得大笑起来，"说不定其实你们常常在同一张桌子吃饭。走吧，小三排档，小桑你说要请客我不和你抢。"他左手本来拽着顾绿章，右手一把拉住桑菟之，"走吧，我

要和你喝酒。"

她被沈方一路拖出去，"锁门……"桑菟之家门也没关，钥匙也不拿，东西也没收。

"他从来不锁门，反正他家里也没什么好东西。"沈方笑着说，把两个人一起拽到风雨巷小三排档，"要吃什么？水煮活鱼？"

"豆花活鱼。"她又和桑菟之异口同声地说。

别人只听到沈方在笑，"你们两个，真是有缘啊……"

她看着左边热情洋溢的沈方，右边微微显得有些风情内敛的桑菟之，心里有种被温暖的感觉在扩散，"你们和国雪在一起的时候……也常常去喝酒？"

"当然。"沈方放下啤酒杯，"如果在学校打球，我们就去异味喝酒。国雪是酒量最差的一个，但是他从来不会喝醉。"沈方认真地说，"他是绝对不会醉的一个。"

那当然，国雪是那么有计划性、那么严谨的人。她刚这么想，沈方指着桑菟之笑，"这个人酒量最好，但每次都会喝醉……哈哈哈……"

桑菟之笑着拿起酒杯，喝酒的样子看不出他有怎样的好酒量。她心里微微一震，想起刚刚踏进他家门，看到他以手捂脸时，那双带笑的眼睛，像他这样的人，心里想必有很多不可以对人说的事吧？"小桑，你唱歌很好听。"她说。

"是吗？我可以唱给你听。"他说。

"我唱歌也很好听。"沈方插嘴，"我也可以唱给你听。"

"都唱吧。"她说，今天晚上如果没有他们两个，她一定不敢入睡，一定会有满脑子古怪的幻想，一定都是爸妈失踪的种种幻影……她想听歌，想听别人的事，想再晚一点才回家……最好一直到天亮，她现在怕晚上。

"My love，晚安，就别再为难，别管我会受伤。想开、体谅，我已经习惯，不然又能怎样？这个城市太会说谎，爱情只是昂贵的橱窗……竟然以为你会不一样，但凭什么你要不一样？因为寂寞太冷……"桑菀之已经开始唱了，"前进、转弯，我跌跌撞撞，在这迷宫打转。死心、失望，会比较简单，却又心有不甘。这个城市太会伪装，爱情就像霓虹灯一样，谁离开之后，却把灯忘了关，让梦做得太辉煌，以为能够留你在身旁，但是谁肯留在谁身旁……"

他依然唱得让人不忍倾听、不敢倾听，也许是他太直白了，让听歌的人想要逃避。顾绿章在想：让他唱这样的歌的人，究竟是什么样的人？"小桑，唱得好深情。"她轻轻地说，"不过我不是很敢听，整天在这样的情绪里，不好的。"

桑菀之只是笑，"我觉得你人很好。沈方，国雪有这样的女朋友，我替他高兴。"

"说到女朋友，我想找一个像她这样的女孩子当女朋友，小桑你有没有认识的人，介绍给我。"沈方嘴里含着鱼肉，含含糊糊地说，"到明年昨天，如果我找不到像她这样的女朋友，我请你吃哈根达斯冰淇淋火锅。"

他还把那赌约当真了。顾绿章忍不住想笑，只见桑菟之用筷子指指她，"她不就很好吗？"

沈方张大嘴巴，那块鱼肉掉了下来，"她是国雪的女朋友！"

桑菟之的眼睛笑得风情万种，身子也有些颤，"那有什么关系呢？她又不是国雪他老婆。"

"喂喂喂，你到底是不是国雪的兄弟？"沈方怪叫，"小心我明天去他那里给他告状，叫他显灵来找你算账！"边说他边用筷子捞水煮活鱼的鱼片，往三个人碗里塞。

她听着笑了出来，"说得是，我是国雪的女朋友，为这句话干杯。"她举起只有半杯的酒杯，和沈方干杯，这是她这一辈子做得最豪迈的一件事了。"沈方你别听她们胡说，其实……我不是个很好的女朋友……"她慢慢地说，吃了一口鱼肉。

"怎么会呢，你人很好。"桑菟之说。

"国雪说，我是个很封闭的人。"顾绿章说，"我不容易出去，别人也不容易进来……我想……我还是不太会和人沟通，不够关心国雪，也许也不够关心朋友。"她轻声说，"比如说，我不知道国雪有你们这样的朋友，我也不知道国雪除了和我在一起以外，他究竟在干什么？想要什么？"

"你想太多了啦。"沈方不以为然地挥挥手，"你已经很好了啦，至少不会花他的钱又不会给他惹麻烦。"

"可是男人不是只要温柔体贴就够了的。"桑菟之仍然用眼睛在笑，手指习惯地搭到鼻下，"真的，我也是男人，至少我知道男人的心。"

他那种调笑的语气让她笑了起来，"我不了解男人。"

"我了解。"他风情万种地笑，带些故意的味道。

沈方揍了桑菟之一拳，"我、觉、得！"他觉得自己被忽视了，所以声音放得很大，"我觉得，有个女孩子被男人宠，女孩子长得可爱、听话、又温柔，那就够了。"

桑菟之笑起来脸往旁边转，连顾绿章都"扑哧"笑出来，"那也是。"她没觉得沈方的幻想很可笑，笑出来是她觉得那样的心情很可贵，如果小桑是复杂到极点的男人，沈方就是单纯到极点的男人。

"对了，小桑，"沈方突然想起一件事，"今天晚上绿章家里只有她一个人，你搬过去陪她住吧？反正你家里乱得根本不能住人，我觉得那么大的房子一个人住会害怕的。"他已经解决了那盆水煮活鱼的一半，拿纸巾擦擦嘴巴，"绿章你不用担心，反正他是个 Gay，没有危险性。"

她直觉那样不好，顿了一顿，拒绝的话却无论如何说不出口，她的确很恐惧那栋没有人的家……桑菟之却没所谓，

藤萍

丢了钱包在桌上，起身往后转，"那我回去拿点东西。"他说走就走。

"小桑真的是个 Gay？"她低声问沈方。

"算是吧……"沈方回忆，"其实他以前不是 Gay 啦，也没多久以前，就是两三年前吧？他有个朋友是个 Gay，在娱乐城打工，你知道那种地方很杂很混乱的，他那朋友被一大群玻璃圈里的男人打，我不知道是为什么，反正他打电话叫小桑去救命。"他耸耸肩，"小桑就去了。"

"然后？"她听着闻所未闻的故事，想着后果毛骨悚然。

"然后他把他朋友救回来了，小桑的女朋友却跟着被他救的那个朋友走了。"沈方干笑，"事情很混乱的，小桑因为救他的事惹上了一大群玻璃圈里的男人，女朋友却跑了，不但跑了，还带走了小桑好多钱……那女孩子本质不好。"

"钱？"她茫然，"小桑有很多钱吗？"

"是啊，他老爸在英国，老妈在德国，很小就把他一个人留在国内，他本来很有钱的。"沈方说，"那女孩子带走了他差不多所有的钱，小桑很生气的。"

"我觉得……像在听电视剧里的故事。"她的心情很凄然，"很悲惨。"

沈方叹了口气，"然后那些人硬拖着小桑去同性恋酒吧，我也不知道怎么搞的，总之他就变成一个 Gay 了。我认识他的时候他刚刚考上钟商大学，生活颓废得很，也不知道招引多少奇怪的男人去他的宿舍，最后我实在看不下去了，而且干扰别人读书啊。"他摊了摊手，"我找他打球，请他搬出宿舍，结果发现他球打得很好，还会占卜，很厉害的。"

钟商大学的学生会长，她忍不住好笑，果然是过分热心而且单纯的人，"那小桑只是有些自暴自弃，不算是个Gay。"

"他好像有个男朋友。"沈方说，"不过我也不知道真的假的，国雪说小桑只是从小没有安全感，到现在也没有安全感。"

她醒悟了一下，"国雪看得很清楚。"低声说完之后，心里泛起一丝酸楚一丝温柔，轻轻叹了口气，"小桑缺乏安全感。这么简单的事，为什么我看不出来？"

"国雪说他女朋友是一个很能给人安全感的人。"沈方说。

她错愕，心头震动了一下，"是吗……我以为国雪才是。"

"我也觉得你是。"沈方对她露出灿烂的笑容，"好像什么事都可以和你说。"

她情不自禁微微一笑，"本来……我不会对别人说，我觉得每个人做事都有每个人的道理，只要没有杀人放火，谁

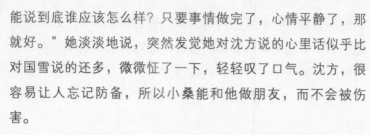

能说到底谁应该怎么样？只要事情做完了，心情平静了，那就好。"她淡淡地说，突然发觉她对沈方说的心里话似乎比对国雪说的还多，微微怔了一下，轻轻叹了口气。沈方，很容易让人忘记防备，所以小桑能和他做朋友，而不会被伤害。

"喂，绿章，我真的觉得你很好。"沈方招呼服务员来买单，"其实小桑人也很好的，他租的那间房子，钥匙丢在学校里，谁想去住都可以，像临时公寓一样。每次他同学有朋友从外校过来，他都会找人打扫、借给人住。只要有人不讨厌他，他都会很高兴。"

她一双眼睛清澈地看着从小巷那边走过来的桑菀之，低声地说："沈方，我觉得那样不好，他不防人，又没有安全感。只要有人对他好，他就很容易被诱惑……"她缓缓摇了摇头，"那样太危险了。"

沈方却没听她低低的说话，招呼了一下桑菀之，把钱包丢过去，"走了。"

桑菀之带着很简单的东西，几件衣服，牙刷毛巾竟然都是他刚才在小超市买的。

她在看他走过来的时候，真真切切地知道，这真的是一个要他帮忙召唤一声、他就会笑着帮忙的人……从外表上，完全看不出……他会是个很容易被利用被伤害的人……

这样的人，如果不够坚强，一定会死于伤害。

沈方在顾家古宅门口和顾绿章和桑菀之分手，他要在宿舍楼锁门之前回去，身为一个热心学校事务的学生会长，他不能也从来没想过要违反纪律。

她领着一个陌生的男生回到自己家门口，家里依然一片黑暗，爸妈仍然没有回来。绿章的整颗心仿佛脱离了刚才欢乐的气氛，沉了下来。开锁的时候她仿佛觉得自己在做梦：她居然敢把一个不认识的，而且生活那么复杂颓废腐败的男生带进家里来。

"咯啦"一声锁开，她停顿了一会儿，拉开了庭院的灯，里面果然一片寂静，如果有爸妈惊讶甚至愤怒的目光和责问，那有多好？"小心，我家的门有门槛。"她只能控制自己的声音，尽量微笑地说，不露出鼻音。

"啊。"桑菀之把刚买来的东西反手勾在背上，"没事，我看得见。"

她等他进来，关上门，"你……你随便坐，我去给你泡茶……"

"不用了，刚才吃川菜的时候喝了好多啤酒。"他说，"你做你的事。"说着他随便挑了个顾家客厅的太师椅坐下，拿出手机开始玩手机里的游戏。

他真的是纯粹来"陪"她的。顾绿章还是泡了乌龙茶放在他旁边，找了衣服去洗澡。

洗澡的时候，她默默地想：如果他不是个 Gay、没有自

暴自弃，那有多好？

那或者他不会生活得这么孤独。

洗完澡出来，她换上了红绸桃花的睡衣，走出来时看见桑菟之放弃了玩手机游戏，正在看那个丢了裙摆的画有怪物的漆盒，"怎么了？"她一边用木梳梳头，一边走过来看。

桑菟之回过头来，"我知道你家里出了什么事了。"

"啊？"顾绿章手里的木梳"啪啦"一声跌在地上，猛地两三步赶了过来，"出了什么事？你知道我爸爸妈妈到底怎么样了吗？"

"这是马腹。"桑菟之指着漆盒上画的人脸虎身的怪物，"是《山海经》里说的吃人的怪兽。"他抬头把顾家客厅前前后后看了一遍，"这盒子里本来是什么？"

"是一件裙子，绣的图案和这个一样，但是还没绣完。"她怔怔地看着那盒盖上的马腹，一片迷惑。

"顾家绣房，几百年的历史。家里的珠宝玉石，应该有很多吧？"桑菟之问。

"嗯。"她更加茫然，珠宝玉石，和父母失踪有什么关系？

"你院子里种着很多琴丝竹。"他说，"还有一条往东流的小河经过顾家的院子。《山海经》上说，'蔓渠之山，其上多金玉，其下多竹箭。伊水出焉，而东流注于洛。有兽焉，其名曰马腹，其状如人面虎身，其音如婴儿，是食人'。你家里虽然不是蔓渠山，但是马腹要出现需要的东西

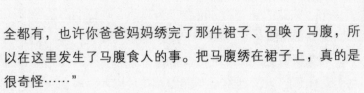

全都有，也许你爸爸妈妈绣完了那件裙子、召唤了马腹，所以在这里发生了马腹食人的事。把马腹绣在裙子上，真的是很奇怪……"

她听得微微变了脸色，低声问："你觉得……有寓意？你说我爸爸妈妈给传说中的怪兽吃了？怎么可能？《山海经》上写的东西怎么能当真……"

"马腹吃人，和老虎吃人不一样。"桑菀之说，"《山海经》上说它吃人，究竟怎么吃人，谁也不知道。"

绿章听着，感觉就像天方夜谭，脸色变得有些苍白，"小桑，你在胡说八道，喝醉了吗？"

桑菀之扬眉笑，"好像有吧？"他指指她客厅里一根柱子，"爪印。"

爪印？顾绿章僵硬地去看那柱子，在离地至少两米以上的地方，有个三道让木柱翻开外皮的伤痕，很新的痕迹，的确像兽爪的痕迹，"怎么可能……"

"世界上有很多不能解释的事。"桑菀之也抬头看着那痕迹，"不过不管你往柱子上怎么扔东西，都不可能把柱子变成这样。"那爪子明显地长有倒勾，把木头比较柔软的里芯都翻出来了，要把一根陈年的木柱抓成这样，需要很大的力量，"绣着马腹的裙子，柱子上留下奇怪的爪痕，我想总会有些联系吧？"

"小桑，如果是马腹吃了我爸妈，那马腹究竟是什么东西？我要去哪里找它？"她茫然也痛苦地看着那奇怪的痕

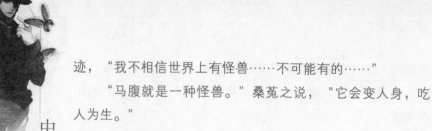

迹，"我不相信世界上有怪兽……不可能有的……"

"马腹就是一种怪兽。"桑菟之说，"它会变人身，吃人为生。"

"荒唐……胡说……"她低低地诅咒问，"小桑，这些奇怪的事，你是怎么知道的？"

他笑了起来，"我喜欢看书，没事我就去书店。"

"马腹究竟是什么东西……"她看着那个漆盒，低低地自言自语，"是谁把它绣在裙子上……那是什么意思……小桑，你占卜过，说我爸妈目前只是被囚禁没有危险，现在说我爸妈被怪兽吃了，我到底……要相信什么？是不是？"

桑菟之握着手机，身体往太师椅左边倾斜了一点，"你该相信你自己的感觉。"

他倾斜的姿势依然让人感觉风情的韵味，顾绿章突然低声说："小桑，你占卜出明天究竟有几个人去扫国雪的墓，你占卜准了……我就信你……相信我爸妈失踪的事和马腹有关系，相信他们没有遇到意外，相信我只要弄清楚马腹的寓意是什么，就能找到爸爸妈妈。"

"明天四个人去扫国雪的墓。"桑菟之立刻回答，"两个女人，两个男人。"

她怔怔地看着这个风情与神秘并在的男生，他长得很像女生，带着贝蕾帽，斜倚在太师椅上，眼睛总是在笑。"小桑，为什么你相信世界上真的有怪兽？"她突然问。

"我看见过。"他说。

三　唐草薇和莫明紫

4 月 15 日。

桑国雪的忌日。

沈方很守约地用三轮车把顾绿章带到了钟商山鹤园，那是钟商市的墓地，距离市区有十里地。等他骑车骑到那里的时候已经浑身是汗，快要累死了。钟商山鹤园里青山绿树，四月的天空湛蓝也无云，不刺眼的阳光透过树梢，在树叶的边沿折射出光痕，让那叶子显得很黑，阳光却很明亮。

她去到的时候，墓前已经有了菊花和供品，有一些水果，还有摆放得整齐的碗筷，白饭、青菜、蘑菇炒肉、蒸鱼什么的一应俱全。

还放着一个崭新的篮球。

她的眼眶突然湿润了起来，深吸了一口气，眼泪涌到眼睫之间，忍耐着不让它掉下来。国雪的父母很早就来扫墓，留下了国雪最喜欢的东西。放下她从自家庭院折下来的菊花，她坐在墓碑旁边，倚靠着那刻着"孝子桑国雪，某年二

月八日生，某年四月十五日卒"字样的石碑，望着天。

天很蓝。

看得她很想流泪。

沈方从书包里翻出一个小瓶子，提在手里，"喂，国雪啊，这是你寄在我家的鱼，就是你从水沟里捡回来的那条。不过我不小心喂太多饲料，撑死了。现在带来还给你，喏，我放在这里了。"说着他把那玻璃瓶放在墓碑前，拿根干树枝在国雪的墓旁边挖坑。

顾绿章看着那玻璃瓶子，一条很小的褐色小鱼漂浮在一瓶子福尔马林里，心里想笑，泛到唇边却更想哭了，勉强动了一下嘴唇，微笑着问："什么时候国雪还养鱼？"

沈方一边挖坑，毛线帽子突然掉下来，他一头鬏发在阳光下闪着丝般的光泽，"上次去异味咖啡吃饭，走出来的时候这家伙在路边下水道里跳来跳去，那下水道没水，国雪就捡起来，养在我家。我是不会养鱼啊，但是你说让国雪提着一个塑料袋，里面是这样一条小鱼回家，那多可怕……"他挖得满身是汗，"做男人，就是不能让朋友为难……"

她想象着严谨端正的国雪提着一个装着小鱼的塑料袋过马路的样子，"扑哧"一声笑了出来，"你真体贴。"眼眶里的眼泪突然间少了，看着沈方在地上忙碌，端端正正地给那条鱼做坟，世界原来一直都很美好。

"我本来想叫小桑带回去啦，不过小桑他连自己都养得乱七八糟，叫他养鱼虽然他会养，但是说不定养在牙杯里……"他挖好了一个坑，满意地把玻璃瓶放进去，填上土，扎实地压好，"OK."

"小桑真是个很奇怪的人。"

"不会啊，他只要不招惹很多男人到他那里去就很好。"沈方说，"他已经快两年没有和那些乱七八糟的人混在一起了，挺好的。"

"那也是。"她颇有同感，"有你这样的朋友，他会往好的方向改变。"

沈方把帽子捡起来戴回头上，亮出 Yeah 的手势，"当然！你要相信我。"

"我当然相信你。"她微笑，看着沈方，就觉得世界其实很美好，其实没有什么事值得苦苦地担忧烦恼，明天和未来，都无限灿烂，吸引人去追逐去奋斗。侧过头看国雪的墓碑，她终于缓缓松了一口气，倚靠着墓碑，心里默默地说：国雪，那围巾我说了两年，还是没有绣完，今天我什么也没有带，只是来让你看看，这一年我过得很好。凝视着属于国雪的这一块地，她喃喃地和国雪说话。

沈方听不到顾绿章在说什么，阳光下她那双温柔清晰的眼睛仿佛特别大。他站起来拍身上的树叶和枯草，突然

"咦"了一声，"绿章，那是不是一个人躺在那里？"说着指着山腰的一个地方。

她转过视线，一个人、不、那是两个人在山腰的一处转角，一个人似乎是倒下了，另一个人正弯腰看着，"那是异味咖啡的唐先生吧？"她的眼睛比沈方好，沈方一百五十度近视，不戴眼镜，她的视力却是少有的五点三。

异味是钟商大学前门正对面的一家咖啡馆，是家古董咖啡馆，开得很大，卖的是各朝各代的古董，包括花瓶、字画、碗筷、屏风、首饰什么的，兼有咖啡座。钟商大学的学生很少走进异味古董咖啡，它看起来格调清高，价格昂贵，但是去过的如桑菟之沈方桑国雪，都觉得那里不错，很清静。异味古董咖啡馆的店主是一位年轻人，姓唐名草薇，顾绿章虽然从来没去过异味馆喝咖啡，却知道唐草薇在钟商大学女生心目中，那是一个宛若神明，比爱情还让她们向往的神秘妖艳的人。

"是啊，是小薇。"沈方跳下国雪的墓园，凝神仔细看，"小薇喂，小薇……"

那边弯腰看人的人抬起头来，这个人肤质光洁细腻，眉线如眉笔画上那样长而重彩，眼瞳不大，正视人的时候全瞳平视，更显得眼睛的弧度和线条，甚至每一根睫毛都标准又翘得恰到好处。恰到好处的眉眼睫鼻，象牙色的肤质，一张色泽鲜艳的红唇，衬着他全黑直至膝盖的外套，以及外套上搭着的同布料的腰带，唐草薇……钟商大的女生提起来他，最直接的描述说法就是"那个妖得不能再妖的男人"。

听说从他那里购买古董的客人们常常提及在夜里看见奇怪的影子，说图画上的梅花鹿会跑到社区吃草、花瓶上的美人夜里会起来梳妆、青花瓷瓶上的花纹会变化……虽然谁也没有证据，显然是吹牛八卦的水分居多，但是更平添了唐草薇神秘妖异的气质。听见沈方在山顶叫"小薇"，他戴着手套的手挥了挥，说了些什么沈方和顾绿章完全没有听见。

"绿章我们下去吧，那里是不是有人受伤了？"沈方回头叫顾绿章。

"下去吧，好像是昏倒了。"她看得比沈方清楚。两个人顺着鹤园的石阶奔下来，出了鹤园在钟商山绕了个弯，到了半山腰的那处转角。

唐草薇戴着修剪花木用的手套，右手拿着剪刀。闲暇的时候他会到很多地方做义工。钟商市儿童福利院、钟商市中心花园、钟商大学的花圃，他都曾经在那里做过周末修建花木的义工，今天显然他做义工做到钟商山来了。"沈方，我刚刚上来的时候，没有看见这个人。"他的声音低沉、平静、很轻微，入耳就有种不可名状的感觉，像一团柔和强韧的光在晕发，语气所有细微的震动都聚集在听者胸口，虽然声调很平静、声音很轻微，底气却很稳定、深不可测，"我正在想，他到底是从哪里出来的？"

"爬山爬错路了吧？"沈方蹲下来，拍拍躺在地上那个人的肩，"喂，天亮了，起床了。"

她蹲下身打开随身带来的保温瓶，"要不要让他喝点水？"

"他到底是睡着了还是昏死了？"沈方摇晃了一下地上那个人。

那是个穿着黄色条纹外套、牛仔裤和球鞋的男生，看起来年纪不大，头发的颜色微微有些发黄，容貌长得很稚气。沈方已经是张娃娃脸，两个人一对比就知道，这个男孩子最多不过十五六岁。

"钟商山上来只有一条路，从早晨六点开始我就沿上山的路剪枝，他不可能凭空出现，到底是从哪里上来的？"唐草薇慢慢地问，"难道是从悬崖那边翻过来的？"他的目光掠向钟商山南面的悬崖。

钟商山不是座高山，也不是险峰。东北两面被鹤园占据，没有允许是不能进去的，西面只有一条盘山路，南面是九十度直角的所谓"悬崖"，那高度虽然只有一百三十多米，但是也是绝对不可能攀援的。如果这男孩不是从西面的路上来的，他更不可能穿越有围墙的鹤园，难道竟然是从悬崖爬上来的？

她凝视着地上那个男孩子的脸，那面孔真是年轻稚嫩得不可思议，"他倒在这里，家里人肯定很担心，到底是怎么了？打电话叫120吧？"唐草薇对这孩子的态度有些冷漠，她不期然地在心里想：沈方和小桑都不会对一个倒在路边的孩子这样。

果然沈方从口袋里摸出两块糖果，塞在男孩子嘴里，"难道是低血糖昏倒了？"

"不，他只是饿了。"唐草薇说，"这里在手机的信号范围外，电话是打不出去的。"

那男孩子很快醒了过来，一见人就"啊"了一声。唐草薇"啪"一声一手搭在他肩上，弯下腰，脸庞靠近那男孩子的耳朵，用他那平静低沉又极轻微的声音在男孩耳边拖平声调说："你叫什么名字？"

"名字……"男孩睁开眼睛的神态很茫然。

"姓什么？"唐草薇的红唇近乎是贴在他耳后在说话。不知为何，顾绿章竟有一种他要一口咬出鲜血来的错觉，唐草薇的红唇平拖开来说话分外妖艳绝伦。

"没……"

男孩猛地抬头看见唐草薇那双平视看人的浑圆的眼瞳，整个人往后一缩，却一下撞在唐草薇外套下摆上，只听唐草薇说："你姓莫，叫莫明紫。"

顾绿章疑惑地看着唐草薇，这个男孩，真的叫做莫明紫？转目去看时，那男孩已经点头，"我叫莫明紫。"男孩的声音怔怔的，有股婴孩童声的味道。

唐草薇的瞳孔微微闪过一道光，戴着手套的手离开莫明紫的肩头，"我可以让他回异味馆，沈方。"

"啊？"沈方正在奇怪唐草薇的态度。小薇这个人有点傲慢、有点古怪，对人常常有一种距离感，也可以说是比较冷漠的。他喜欢花草，精通古董，从来不关心他人的事，有恐高症，绝对不住三层以上的房子，有洁癖，却从来没有这么热心的时候。"你不是要把他带回去然后丢掉吧？"沈方开玩笑，"我还以为异味馆除了凤宸谁也住不进去……哈哈哈……"

"你骑车上来的吧？把他带下山。"唐草薇充耳不闻沈方的玩笑，平静地说。

"啊？啊……"沈方叫了起来，"你叫我用车带两个人？你疯了?我又不是骆驼……"

"我陪顾小姐下山，你骑车把莫明紫带回异味馆。"唐草薇说，他说的语气没有什么感情，却是不容拒绝的命令。

"好是好，奇怪，你怎么知道她是顾小姐？我又没有介绍给你认识……"沈方往他放三轮车的地方跑去，"而且你

怎么知道我骑车上来？"

地上的年轻男孩爬了起来，茫然地东张西望了一会儿，跟着沈方往三轮车的地方走去。

"唐先生。"顾绿章微微侧过头，凝视着唐草薇，"你的态度，稍微有一点点强人……"

"所难？"唐草薇接口道，"对不起，我并不觉得。"

真是个缺乏同情心、不够温柔的人。她微微一笑，不过，世界上总有些人天生不够体贴，所以温柔的人总要对这些人让步，"我们下山吧？应该陪那个孩子去医院检查一下。"

唐草薇没有回答，他的深色眼瞳看着钟商山的另一个方向，那种眼色仿佛看得很远很远，但细心如顾绿章却知道，他视线的焦点哪里也不是，只是没有发表意见而已。

那一边，沈方远远地挥手，"我带人下去了。"

她在这边喊："要小心啊！"

"废话！"沈方边笑边往下坡路上骑去了，莫明紫坐在那三轮车的旁坐上，那双眼睛呆呆地看着沈方，好像完全不知道看哪里好。

"走吧。"唐草薇把手套和花剪放进带来的手提袋，当先顺着下山的路走了。

她陪在唐草薇身后。

走了一段很长的路，两个人之间寂寂无声，他不说话，顾绿章也没有开口。

"顾小姐。"一直到快要走到山下的时候，唐草薇平调得没有什么感情，却又像团柔和强韧的光的声音响了起来，"今天中午，我请你在异味馆用餐，不知道有没有这种荣幸？"

"啊……"她一路想着自己的心事，想着父母、国雪甚至小桑……突然听到这样一句话，错愕了好一会儿，"当然，可是……我去。"她几乎说出"可是何必用这种语气说话？"，幸好及时停住，唐草薇的思维让她无法琢磨，完全不知道他是怎么走着走着，突然冒出要请她吃饭的念头的。

"那很好。"唐草薇抬头看了看钟商山附近起伏的小山丘，在那之后便没有再看过她一眼。

她像跟在主人身边的鹿——她有这种感觉，茫然不知方向地跟在唐草薇身边，不知道他要把她带到何处。在沈方面前她觉得很放松，像对着弟弟；在小桑面前她不知不觉会变得更加温柔，小桑需要照顾；在国雪面前她是女友，只需要温柔微笑、陪他散步说话；而在唐草薇身边……她只觉得自己像只除了听令之外无所适从的……动物……

这个人并不是唯我独尊，他即使和她走在同一条路上，她也觉得仿佛两个人脚下踏着的土地都不一样；如果跟着这个人一直走下去，她不知道会走到哪里去，那一定是……完全不可预料的世界，完全不可捉摸的未来。

沈方的未来闪闪发光，清晰得像蓝天绿树白云那般明朗可爱。

小桑的未来即使迷离颓废，但至少仍然是可以看得见的，通过他自己的、朋友的努力可以变得更好。

国雪……是没有未来的……

只有和唐草薇走在一起的时候，她像走在一团迷雾里，不知道应该用什么样的心情、什么样的语调和他沟通，才是正确的。

"人，不必附和任何人。"唐草薇仿佛一团光的声音响了起来，声带的震动清楚地传到她胸口。

"啊？"她被吓了一跳，他依然没有看她，提着手提袋在路边等公交车。她的心怦怦跳了好一会儿，不知道为什么他冒出这么一句，脑子里自动想起：瑶瑶常说她是个有主见的女人。

但是国雪常说她走不出去。

她常常有很多自己的想法，但很少说出口。

默然了一会儿，她缓缓松了口气，微微一笑，"唐先生……怎么知道我是顾绿章？"

"你从刚才到现在，一直都在想这个？"唐草薇的声音

依然是平调，没有什么起伏，"我是顾家绣房的老客户，不然我怎么知道你是顾绿章，是顾小姐忘记了我。"

　　"啊？"她愕然了好一会儿，"扑哧"一声笑了起来，"那……也许……对不起。"她怎么认不出唐草薇的？她自己真的忘了曾经在绣房卖过绣品给他。

四 异味古董咖啡馆

异味古董咖啡馆的装潢是全盘仿古的设计，天然木色的精品架陈列了半个馆。馆占地六百平方米，有上下两层。一楼除了陈列各种精品古董瓷器、字画、木雕、玉器、首饰等等，就剩一个十来座的小小咖啡区。桌椅精雕着梅花鹿与蝙蝠、仙鹤与松树，据说那也是嘉庆年间的古董，价值不菲。

她和唐草薇回到异味馆的时候，沈方和莫明紫已经从医院回来，医生简单检查了一下、说莫明紫只是饿坏了，没有什么大事。这时候，那十五六岁的孩子正在极认真地吃沈方给他泡的泡面，整间异味馆里都是牛肉酱的味道。

"嗨。"沈方一见到顾绿章就跳了起来，"他失忆了，什么都不记得了，除了自己叫做莫明紫之外，什么都不知道，也不会写字也不会坐车，像个白痴，怎么办？"沈方一迭声叫得像天塌了，"我已经叫小桑过来了，他连自己家住哪里、在哪里读书都不知道，看来晚上只能住小桑那里，要不要报警啊？"

"不用。"唐草薇进门，把装着剪枝工具的手提袋往门上一挂，"他住我这里。"

"哈？"沈方看着唐草薇，嘴里像刚刚塞了一个大蛋糕，眼睛像突然被换成了糖果，只露出一张傻笑到以为自己听错的脸。

"他住我这里。"唐草薇转过身，慢慢地拾阶上楼。他有很严重的恐高症，所以上楼的每一步都走得很谨慎，步伐分外稳重优雅，富有节奏感。

沈方呛了一口，"你认识他？"唐草薇有洁癖，性格古怪高傲。他这里空着十几个房间，除了异味馆的雇员李凤辰之外，却谁也不许住。

"不认识。"唐草薇转上二楼，不见了踪影。

"嗯。"

顾绿章正在环顾这家有名的咖啡馆，突然有人拿着个东西蹭了蹭自己的手背。她低下头来，看见莫明紫用吃完的泡面盒轻轻碰了碰她的手背，满脸怯怯的、充满乞求的样子。他眼睛很大，眼瞳也很大，怯怯乞求着看人的时候整个眼睛都能看见被他看的人的影子，一张纯稚的娃娃脸，满身天真的气息，怎么有人能忍心拒绝这样的孩子？她先是愣了一下，因为她看见他拿的是泡面盒，随即醒悟，"啊，我再给你拿一包。沈方，他还没吃饱，这里还有没有泡面？"她抬头找沈方。

"没有了啊。"沈方正想追到楼上去找唐草薇，闻言从上了一半的楼梯跑下来，"异味馆的餐点都是小薇自己做的，他人不在这里哪里有饭吃？我在外面小卖部买的，不过人家说只剩下这一包，都卖完了。"

"呜……"莫明紫拉了拉顾绿章的衣袖，怯怯地用手指碰了碰她的手。

那动作就像只讨好主人的宠物。她心头一震，沈方冲了过来，"喂！"他把莫明紫一把拉开，"抱歉抱歉，我说这家伙像个白痴。坐下！"他对莫明紫喝令，莫明紫立刻端端正正地坐在咖啡馆的椅子上，一动不敢动，满脸泫然欲泣的表情。沈方尴尬地抓了抓自己的头发，顺手把自己的毛线帽戴在莫明紫头上，"对女生不可以动手动脚。乖，等小薇哥哥给你做饭吃。"他把莫明紫的头用力往下拍，"绿章，这人是个白痴啊，什么都不懂，连数数都不会。我问他一加一等于多少，你知道怎么样吗？"

顾绿章问："什么？"

沈方尴尬地用力抓了抓他自己的鬓发，指着莫明紫，"他冲着我哭啊，我靠！"沈方难得说粗话，今天带着莫明紫去了趟医院状况百出，饶是他平时帮助人热心得很，遇到这样一个什么也不懂的白痴，也是差点突破他热情的底线。当一个人被问：哪里不舒服？住在哪里？家长是谁啊？学校在哪里？除了哭什么也不会的时候，你能对他有多少耐心呢？

她拍了拍沈方，"看他的眼神衣着，都不像是……弱智……"

"说不定是被闪电劈到还是撞到头，以前的一切全部都忘记了。"沈方异想天开，"我在纪录片里看到过被闪电劈到以后就连吃饭都不会了的人。他还会吃饭，看起来还不是很糟。"

她对沈方的异想天开哑口无言，"那个……说不定……也有点可能性。"正在这个时候，异味馆的门开了，桑菟之走了进来，在门上扣指轻轻敲了敲。

"小桑，我和绿章在钟商山上捡到一个人。"沈方说，"他晚上可能要住你家。"

"嗯。"桑菟之依然是眼睛在笑，走进来倚在门边，没说什么。

"哗啦"一声，那边乖乖"坐下"的莫明紫突然整个人站了起来，他站起来的势头很猛，一下子掀翻了桌子，"砰"的一声，那木桌翻倒在地，"咯"地裂出了一道缝隙。

"哇……"

"啊……"

沈方和顾绿章吓了一大跳。桑菟之本来没注意莫明紫，此刻顺着发出噪音的地方望过去，他眼角微微上翘的相当能够招蜂引蝶的眼睛依然带笑。

莫明紫惊恐地看着桑菟之，那双大眼睛里全是害怕恐惧的眼神，就像是老鼠见到了猫那样全身瑟瑟发抖，快要吓死了，仿佛只要桑菟之动一下他就会立刻吓死。

沈方的反应是立刻往桑菟之脸上身上各种地方看去。桑菟之今天穿校服，头发去理发店剪了，全身上下没有半点不对的地方，简直是比他平时还要清爽得不能再清爽了。

"你们在我店里干什么？"楼上传来唐草薇平静而微略带了一点尖锐挑衅的声音，那挑衅包含在他柔和低沉的嗓音里，纤细得像针尖，只微微挑起来了一点点。

但足以挑破楼下气氛怪异的对峙。

沈方立刻"啊"地一声叫了起来，指着莫明紫，"他……"到底要说莫明紫什么他一时也形容不出来，"他一看见小桑就掀翻桌子，我不知道他搞什么鬼。"

她跟着"啊"了一声，"他被吓坏了……"

"莫明紫，跟我上楼，我带你参观一下你的卧室。"楼上的唐草薇打断了她的话，莫明紫愣了一愣，丢下手里的泡面盒，飞快地跑上了二楼，好像桑菟之在的地方他一秒钟都不敢多待。

沈方满脸荒诞可笑的表情，转过头目瞪口呆地看着桑菟之，"难道他脑子坏掉，他看见你是一只恐龙？"

桑菟之倚在门上的身子更往外斜了一点，耸了耸肩。

情形太奇怪了。顾绿章看看桑菟之，看看地上翻倒裂开

的桌子，看着沈方，再看向二楼，有一种不祥的感觉在心头慢慢地扩散。虽然像蜗牛的步伐扩散得很慢，心脏每跳一下，蜗牛的脚步就爬了一步，仿佛那种滑腻和冰凉正在她的心头、异味馆和她和这些人的未来之间，缓缓地蔓延着。

❋　　　❋　　　❋

二楼。

唐草薇戴着白手套的手缓缓打开了一间客房，没有看身后的莫明紫，用低沉又轻飘的声音地问："还满意吗？马腹先生。"

莫明紫迷茫地望着他，眼睛乌黑乌黑的，宁静得像安然望着主人的宠狗。

门从唐草薇戴着白手套的指尖缓缓滑开，无声无息地打开了。

房间里床幔桌椅、咖啡红茶一应俱全，铺着柔软厚实的血色地毯。

甚至墙角摆放着半人高的青铜香炉，点着不知名的干枯花草，熏着清淡的、让人感觉舒服的味道。

就在这样整洁优雅的房间里，地上放着一只鸡。

一只活的鸡。

一只羽毛光亮鲜艳，十分精神的雄鸡在地毯上走来走去。

唐草薇微微鞠了躬，莫明紫目不转睛地看着那只鸡，唐草薇无声无息地后退了一步，微微闭上眼睛。

在他闭上眼睛的同时，戴着白手套的手关上了门，发出了犹如发簪坠地那样轻微清脆的"咯"的一声。

屋里一时没有什么声音。

过了一会儿，屋里传来了很轻微的鸡的叫声，只叫了一声，便又无声无息。

唐草薇的唇角微微上勾，那是一丝讳莫如深的笑，妖艳绝伦。

❋　　　　❋　　　　❋

一楼的三个人自然不会想到楼上唐草薇做了一件怎样古怪的事，不会想到莫明紫被送进了一间雍容奢华却关着一只鸡的房间，当然更做梦也想不到莫明紫到了楼上变成了马腹。沈方正在楼下东张西望，"奇怪，李凤宸呢？怎么不见了？"

"不知道。"桑菟之低头玩他的手机，他发短信的速度快得惊人，是沈方的两倍快，速度是顾绿章的十倍。

"小桑，"顾绿章说，"去扫墓的人真的有四个人，我……"

她还没说完，桑菀之笑了起来，打断了她的话："啊，我猜国雪的父母也会去扫墓，那是我猜的，其实不是占卜。"说完，他还低头玩他的短信。

她凝视着桑菀之，他对着手机似乎玩得很专心，沈方的手机响了起来，沈方也拿出来按短信。她等了好一会儿没人理睬她，只得扶起地上翻倒的桌子，扫了扫地、又拖了拖地面。

桑菀之正在给沈方发短信："沈方，她的性格很好。"

沈方回："谁？"

桑菀之："顾绿章。"

沈方回："有点闷。"

桑菀之："如果有人教她怎么表达自己，那就很好。"

沈方回："我去教！"

桑菀之："^_^，你最擅长表达。"

沈方回："但是什么叫做表达自己？"

桑菀之收起手机，眼睛笑着头转到一边去，"绿章，要不要帮忙？"

"不用了，我拖完了。"顾绿章把拖把放回墙角，"很奇怪，为什么明紫看到小桑要吓成那样？"她上上下下地看了下桑菀之，看得她自己都笑了起来，"除了小桑今天穿得很学生气，我没看出来有什么可怕的。"

"居然剪了头发？"沈方去拉他的头发，"你不是说留头发比较像女孩子？"

"我家的热水器坏了。"桑菟之耸了耸肩，"头发太长很麻烦的。"

顾绿章"扑哧"笑了出来，摇了摇头，"现在是春寒，没有热水器很容易感冒，到我家来洗澡吧。"小桑完全不会照顾自己。

"你也可以到我宿舍来洗。"沈方说着突然想到什么，"啊，我想到小桑有什么地方让人害怕了！"他眉飞色舞地看着桑菟之，"他爷爷是道士！绿章你知道中华北街那头有个神仙庙吧？他爷爷当年是庙里很有名的道士，听说凡是身上有邪气曾经作恶的人看到他都很害怕……"

"沈方，"她实在有些受不了，温柔地打断沈方，"我觉得明紫可能受到点刺激，神志不大清楚。你是钟商大学的学生会长啊，太相信这些神神鬼鬼的东西不太好。"

"啊……"沈方想也不想叫了起来，"我哪里是那样的？我明明很相信科学的，不过你也要相信心里有鬼的人看到特别高尚的人都会心虚……"

"咳咳……"桑菟之听得笑到呛气，手指软软地搭在沈方肩上，对他稍微挑了挑眉，"你要说心里有鬼的人看到特别美的人会心虚，我可能比较喜欢听。"

沈方踹了他一脚，"我又不是在说你，哼！"

顾绿章跟着笑起来，实在受不了沈方，"不管是什么理

由，明紫能变成像一张白纸那样，至少以前也是个很单纯的好孩子，你不要怀疑人家小孩子心里有鬼。"

这时大门再度开了，一个一身白衣、身材颀长的男人推着购物篮走了进来，回手带上了门。沈方和桑菟之都打招呼："凤宸，又买菜回来了？"

顾绿章是第一次正面清楚地看到这位异味古董咖啡馆唯一的店员，他比桑菟之和唐草薇都高了快要一个头，与沈方差不多高、年纪也差不多，但整个人的感觉和桑菟之与唐草薇全然不同。

这是个温润的男子，她一见李凤宸心里很自然地就浮上那几句话"谦谦君子，温良如玉"。他长眉凤目，十分温文尔雅，很有古典诗意的气质，而且脸带微笑。和桑菟之那种似笑非笑的样子不同，李凤宸宽厚温雅，绝不轻佻。

"你好，我叫绿章，国雪的朋友。"顾绿章对他点了点头。

"顾姑娘好。"李凤宸含笑回答。

顾绿章微笑，她还是第一次被人称作"顾姑娘"。

"你买了什么回来？我捡了一个大胃王回来，你快看看有没有什么能弄给他吃的。"沈方往李凤宸的购物车探头探脑，"小薇在楼上，喂……不要拖地板了啦，绿章拖过了！喂！"他徒劳地看着李凤宸放下购物车拿起拖把来拖地上的脚印。"喂，是我踩的我会洗啦，现在你叫小薇做饭啦，是

他说今天中午要请客的……"

李凤宸心平气和地拖干净被众人踩得一塌糊涂的地板，扶起翻倒的桌子，再拿起抹布把全部桌子抹干净，然后推购物车进厨房、分门别类放好，再上楼去找唐草薇。这一连串行为，李凤宸只用了五分钟时间，——做得井井有条，干干净净。

顾绿章、桑菀之、沈方三个人看着脚下瞬间变得亮晶晶的地板，都目瞪口呆地看着凤宸步履和唐草薇一样平稳地上了二楼，"草薇，做饭了。"李凤宸的声音平稳温和，十分温暖有力，既没有对刚才他做了一大堆杂事感到厌烦，也没有觉得唐草薇突然要请客很奇怪，所有的事情在他眼里都是应该的、顺利的、愉快的。

"我现在知道为什么小薇只雇凤宸一个人上班。"桑菀之"啊"了一声，"我觉得他一个人打扫六百平方米上下两层楼最多需要两个小时。"

"我觉得只要一个半小时。"沈方抢话，他惊叹地看着亮晶晶的地板，抬起来的脚都不知道放哪里好。

"他、他……"顾绿章仍沉浸在对李凤宸收拾房间效率的震惊中，愕然了好一会儿，长长吐出一口气，"他还是人吗？"

唐草薇换了一身浅粉色的纱衣，那是身华丽的睡衣，衣袖拖下直至膝盖，风格颇为另类。缓步走下楼梯，他唇边带着一抹诡异的微笑，转进位于一楼的厨房。二楼走廊上，李

滕萍

凤宸拿了块新的抹布在抹走廊，木质走廊的扶手在他的擦洗下泛着光泽，一切都是那么祥和平静。

绿章仰望着李凤宸擦洗的动作，心里近乎被催眠地晕起了一股温柔和平实，竟然在那一瞬之间，忘记了父母失踪的彷徨。虽然在刹那之后便醒悟是跌入迷梦，却在醒悟之后红了眼眶，发觉自己原来即使在被朋友包围的时刻，也依然觉得不够，依然向往更加温暖的感情。

李凤宸，是一个温暖的人。

厨房传来了唐草薇开火的声音，她微微红了眼眶之后，有人伸过手来拍了拍她的肩膀。含泪带着微笑回首，她发现桑菀之那双风情内敛的眼睛正对着她笑，笑得有些艳艳的，无语也含情的样子。

现今的时代，无论是成人还是孩子，活着都不容易，开心也不容易。她望望身边的朋友，对着小桑微微一笑，但是或许就是因为人人都活在各种各样的纷扰和困惑之中，所以互相关心起来的时候，才觉得分外温暖吧？小桑，是一个体贴的人。

桑菀之看着她含泪微微一笑的样子，在心里笑了笑。顾绿章，无论怎么说，都是一个比较坚强的女生，对待别人从心底充满善意，是一个好人。

对于沈方而言，粗神经和自信满满是他的本色，青春热血是他觉得年轻人应该如此，照顾好朋友的女朋友对他来说是理所当然的事。所以当顾绿章抬头望着李凤宸眼圈一红的

时候，他有一种冲动上去问她"李凤宸究竟怎么了？我帮你去揍他"。

桑菟之拍了拍顾绿章的肩膀，她回头微微一笑，眼里似乎有点泪光。

但她笑得有些幸福。

这让沈方有些愣，首先他觉得安慰别人这种事是应该他这个"会长"去做的，其次他没想过小桑会去安慰别人。

小桑在他心中，是个常常需要自己安慰的人。

最后他觉得顾绿章对桑菟之这么笑了一笑，好像自己被撇在一边似的，突然之间觉得有些郁闷起来，耸了耸肩，他往门边一靠，不说话了。

"喂，大家都说话啊，怎么不说话了？"桑菟之退开两步，和沈方靠在同一张咖啡桌的不同的椅子上，扬了扬眉毛。

二楼探出了莫明紫的脸，大大的眼睛，纯真稚气的眼神，怔怔地看着楼下许多人。

李凤宸正提着水桶擦到他的房间门口，对他温和地微微一笑，继续擦了过去。

莫明紫对他张了张嘴似乎想说什么。一楼的厨房门开了，一股淡奶和蒜香混合的味道弥漫了出来，唐草薇做了意大利面和玉米浓汤出来，端到了一楼的咖啡桌上。

莫明紫立刻眼睛一亮，从楼上穿着拖鞋"噔噔噔"奔了下来，拿起勺子就吃。唐草薇端出了同样的面条和浓汤出来，每个人都有一盘子，片刻之间大家都在咖啡桌边坐了下来，开始享用异味古董咖啡馆特殊的午餐。唐草薇做的餐点，始终有一种和他本人一样妖异迷人的气息。

"晚上明紫到底是住小桑那里，还是留小薇这里？"沈方很快忘记了刚才的不愉快，"还有，我明天想去公安局查一下钟商市有没有人报失踪，或者去附近的学校问问有没有学生旷课。"他边吃边说。

"我随便。"桑菟之耸了耸肩。

"留在我这里吧。"唐草薇和大家一起围着咖啡桌坐着，他面前的浓汤只喝了一勺，面条一条也没有动过，可是他已经拿起干净的无菌纸轻轻擦嘴，动作优雅高贵，不疾不徐。

"理由呢？"桑菟之破例多问了一句，眼睛看着唐草薇，眉头往上扬，那神色很挑情，耐人寻味。

"不需要什么理由，"唐草薇慢慢放下无菌纸，"就像凤宸留在我这里一样，不需要什么理由。"

"你认识他的父母？"桑菟之含笑。

唐草薇垂下眼神，那神态很冷淡也稳定，对这个问题漠不关心，"不认识。"

"喂，留在哪里不都一样？反正我肯定会找到这个孩子的爸妈。"沈方插嘴，"既然小薇坚持要留在他这里，那就留在他这里好了，反正小桑你那个家又没打扫。"

桑菟之转过头不再看唐草薇，在笑，"那也是。"

她看着这几个男人的对话，很显然小桑对唐草薇有一种挑衅的态度，而唐草薇对莫明紫从一开始就有一种古怪的坚持。为什么会这样，必定会有理由。她只是静静听着，并不插嘴。

很快一顿午餐吃完，桑莵之先走，沈方下午有课，顾绿章也要回家了。

大家都走了以后，李凤宸收拾了餐盘去洗碗。厨房传来轻微的水声。

唐草薇端正地坐在莫明紫斜对桌。

他并没有看着莫明紫，莫明紫却全身在紧张地发抖。

他的睫毛在颤动，双手紧紧地抓着衣角，他在发抖。

"那只鸡，"唐草薇问，"好吗？"

莫明紫"嗯……"了一声，气息更加紧张。

"那些羽毛，漂亮吗？"唐草薇又问。

莫明紫点了点头。

他是一只马腹，《山海经》里说的食人的怪物。但他却被桑莵之吓得全身僵硬，被唐草薇吓得全身发抖。

"明紫，你吃了我给你的鸡吗？"

一阵寂静，在寂静之中，唐草薇撕开了一包咖啡砂糖，轻轻倾斜，看砂糖沙漏般在烟灰缸里堆积，手指很稳定。

"嗯……"莫明紫一双大大的眼睛不安地看着咖啡桌，似乎不知道看哪里好。

"很好。"唐草薇自始至终没有看过莫明紫，手指间的

砂糖倒完，他突然问："是你吃了顾家绣房的一对夫妻？"

莫明紫摇了摇头，突然又点了点头。

唐草薇的眼神突然向他看了过来，"是？还是不是？"

莫明紫点了点头。

"把这个拿去厨房倒掉。"唐草薇说。

莫明紫呆呆地拿起烟灰缸，乖乖地向厨房走去。

"面向东南。"在他走回来的时候，唐草薇优雅缓慢地下令。

莫明紫满脸茫然，慢慢转向东南方站着，从玻璃窗上反射过来的阳光刺激得他睁不开眼，他却静静地面向东南站着。

"睁开眼睛。"唐草薇话说出口的同时，自己也缓缓睁开了眼睛。

莫明紫努力睁大眼睛。

在玻璃反射的光芒下，他的眼瞳深处闪烁着如碎玻璃那样七彩的光。

莫明紫……

唐草薇微闭的狭长的眼瞳里泛着一种妖异璀璨的光彩，就像他找到了新的附灵的古董一样。

马腹是一种兽。

可以说是一种怪兽，也可以说是一种神兽。避免马腹伤人的办法有两个，一个是不要惹怒它，一个是供奉它。给马腹的供品必须是有毛的祭品，它食用了祭品，作为交换就要听供奉人的指挥。

　　但普通的马腹化为人身最多也就是三四岁孩子的样子，这只"莫明紫"却已经长到十五六岁的模样了。

　　而且看样子他还是第一次化人。

　　这是一只不一般的马腹。

　　莫明紫甚至感觉到了桑菟之身上那连他自己都没有发觉的灵力。

　　充满灵性的、奇异的生灵，比之鬼魅遍布的古董毫不逊色。

　　他喜欢。

　　正像他遇到李凤宸的时候一样。

　　莫明紫是一只能化为人身的异兽，而李凤宸却是一个人。

　　古人。

　　被冰封在千年雪峰底下，身中剧毒的古人。

　　唐草薇在天山旅行的时候，从雪峰洞穴里挖出了李凤宸，看服饰他是千年前的宋人，经过简单的救治以后，李凤宸醒了过来。

　　他从来不说自己在宋朝的时候究竟是个什么样的人，唐草薇也不问他。

　　但是李凤宸在千年前一定不是这样一个乐于家务，喜欢打扫购物，温柔宽厚，专注营造家庭气氛的家庭主妇似的男人。

绝对不是。

他或许是一位大侠，或者是一个浪子，或者是一大魔头，或者是一派掌门，又或者是四海异人。

他身上有一面令牌，上书："见令行令、天下归一"八个字。

像这样的"人"，正像蕴涵灵魂与历史的古董一样，有着不可思议的华丽感与诡异的气息，充满了缥缈的感觉，但又能用手指触摸、用眼睛看见、用鼻子闻着，拥有这样的东西能让人享受尊贵感与优越感。唐草薇不否认他对这些东西有一种收藏的癖好，又或者说，收藏是他的一种习惯。

享用了美丽羽毛之后，对唐草薇言听计从，眼睛在阳光下闪烁彩光的莫明紫，究竟是什么样的珍品？

但收藏莫明紫有一个障碍。

顾绿章。

这个年轻的女生性格冷静、稳重，能仔细思考，而莫明紫吃了她的父母，她不可能不追查顾家失踪事件的真相。

如果只有顾绿章一个人，那并不麻烦，也不讨厌。

她却有沈方和桑菀之在身边。

那两个人。

很麻烦。

"草薇。"李凤宸的声音传了过来，"你在想什么？"

唐草薇完全闭起了眼睛，"没什么。"

五　勇敢

　　顾绿章回到家里，顾家古宅依然寂静，家里轻轻地落了一层灰尘，她早上出门来不及打扫。看见阳光下桌面上的灰尘，她拿了抹布，拿到手里才知抹布因为两天没有浸水已经完全干透了。

　　握在手里，像握住了一手沙。

　　她顿了一下，去打了一脸盆清水，慢慢地擦拭家里的各种老式家具和桌椅。

　　脸盆的水面起了涟漪，愣了很久，她才知道自己流了泪。

　　爸爸……妈妈……

　　身边没有人的时候这种感觉不可忍受……她丢下抹布奔到自己房间，"啪啦"拉开抽屉把国雪的相片翻了出来，让他对着自己。

　　相片里的男生相貌端正，表情严肃谨慎，连衣角衣领都比别人挺直整齐一样，站在阳光下的校园里仿佛顶天立地、仿佛世界一切安稳安全的东西都在他身上闪光。她双手握着

藤萍

国雪的相片，坐倒在床铺上，拉过枕头压住脸，无声地哭了起来。

她曾以为……她在十一岁的时候就以为……国雪是世界上永远不可能动摇的存在，他是那么优秀、那么坚强、那么谨慎、那么挺拔，即使世界崩塌了国雪也会保护她，只要她能追逐到国雪的脚步那就追逐到了安全感、就得到了永远。

她曾为此努力奋斗，刻苦读了整整八年书。

和他考上同样的大学、和他上同样的社团……

可是一辆公交驶过，就像最廉价的电视剧，一个孩子在车前……一阵风掠过，她看见国雪掉下了十米高的唐川堤，然后他没入唐川。

孩子还在路边哭泣。

国雪就这样离开她，什么都没有留下、什么都没有留下……

连一句话都没有。

国雪死后她都没有真正地哭过，直到迟了整整一年之后，仿佛在此时此刻才真正感觉到了那种伤悲，那种失去了永远无法再挽回的最珍贵的东西，那种你无论做什么都永远不能再重来的最珍贵的感情，那种完全没有理由，却不得不接受后果的事。

原来……她一直都没有感受到国雪死去的哀伤，直到如今，直到如今，直到她想要国雪的温暖国雪的安慰，她想见国雪、想听见他的声音感受他的体温，才知道什么叫做"永远失去了"。

永远失去了，不能再回到过去。

最可悲的不是国雪死了。

是她过了整整一年以后，才领会到那种悲哀。

即使她今日哭泣至死，国雪也永远不会知道的悲哀……

"你用浓浓的鼻音，说一点也没事。反正有泪有痛才是爱的本质，一个人旅行，也许更有意思。和他真正结束，才能重新开始……"

她的房门口有人带着笑在唱。

声音很清。

她慢慢转头，桑菟之倚在门口，还是那身校服，那双带笑的眼睛。

看到小桑，她本能地微笑了一下，湿润的眼睫贴在眼睑上，感觉像戳破面具的刀子。

"几年贴心的日子，换分手两个字。你却严格只准自己哭一下子，看着你努力想微笑的样子，我的心像大雨将至，那么潮湿。"桑菟之双手插在口袋里，人倚在门框上，笑笑地唱。

"我们可不可以不勇敢？当伤太重心太酸无力承担；就算现在女人很流行释然，好像什么困境都知道该怎么办。我们可不可以不勇敢？当爱太累梦太乱没有答案；难道不能坦白地

放声哭喊?要从心底拿走一个人……"桑菟之唱到这里停了。

她怔怔地看着他。

他转过头,手指捂着脸,声音有点哽咽。

他的眼睛、眼角依然在笑。

甚至比他平时笑得更灿烂。

她不知道他的歌是唱给谁听,不知道他究竟是唱给她听还是唱给他自己听,突然桑菟之回过头来,放下手,"绿章,想哭就哭吧。"他笑得很灿烂,"我陪你哭。"

她摇了摇头,眼泪又从她的眼角滑了出来,又摇了摇头,吸了吸鼻子,"其实……我不知道我在哭什么……"

"昨天电台里的 DJ 说,现在社会需要更多的眼泪。"桑菟之说,"因为我们活得太累、太冷漠、太虚伪又太渴望被原谅。"

她没有回答。

"绿章,不要压抑自己。"桑菟之说,"不要觉得自己哭错了。"

"小桑,你真的很温柔……"她轻声说,"能得到你的温柔的人一定很幸福。"

他笑笑,没说什么。

那天下午到晚上,桑菟之一直留在顾家古宅里,陪她喝茶,帮她浇花,在她回房间睡觉的时候,他在外面通宵玩手机游戏。

4 月 16 日。

天亮。

一直到天亮她醒来的时候，他还倚在椅子里玩手机游戏，还满眼似笑非笑。早晨七点的阳光淡淡地映着他的发丝，他刚剪了头发，肤质很柔和，眼角和眼角的睫毛都微微上挑，充满了内敛而微微有些玩世不恭的笑，但那眼神仍很清澈，甚至比国雪还清，也许因为小桑从不骗人。

他只被别人骗。

他一直在陪她。

推开房门的时候她有一种无法表达的感动，甚至对于国雪也从来没有过，小桑体贴得让她想哭。

这个男生，怎么能得不到幸福呢？

"早上好。"桑菟之看着她出来，收起手机挑起了眉。

"早上好。"她露出这么多天来第一个真心实意、第一个想要温暖别人的微笑，"早上想吃什么？"

桑菟之站起来双手插在口袋里笑，"我不吃早餐。"

"那么喝茶。"她举起手里一个小罐子，"喝龙井。"

桑菟之不反对。她把那些一寸长整整齐齐暗绿的茶叶轻轻倒进茶盅，一边烧水，一边清洗杯子。

她的手指在七点这样淡淡的阳光下，纤细而苍白，不脱传统女孩精致而含蓄的美。

"绿章，国雪在的时候，你们早上吃什么？"

她怔了一下，随后笑了，"国雪在的时候……"她慢慢摇了摇头，笑得有些凄凉，"他没进过我家门，我们……从来没在一起吃过早餐。"

"你泡茶的样子很美。"桑菀之说。

她又怔了一下，张口结舌，手指突然一颤，热水泼在手背上，"当啷"一声她手里的茶杯跌到茶盘上。

桑菀之没有帮她看有没有烫伤，眼睛一直在笑。

她低着头。

气氛在这时变得尴尬而暧昧，她听到自己的心在跳，心情变得很慌张，和国雪在一起，她从来没有不稳定和不安全的感觉。

"如果有一天我也能这样泡茶给另一个人喝就好了。"桑菀之在静了一静以后，却笑着说出这样一句话。

她猛地从对座站了起来，"其实你……"

她站起来的时候全然没有想清楚自己想说什么，桑菀之笑了出来，"我什么？"

"其实你……"她呆呆地站在桑菀之面前，心跳得好快，她的心情丝毫没有因为说话中断而冲淡了激越，突然胸口一热，她说了出来，"其实你……其实你根本不必想要依靠别人……小桑你不是喜欢男人，你只不过喜欢男人给你的……安全感……"

话说完了。

她觉得自己像撕破了别人一层纸，也撕破了自己一层纸。面对着依然在笑的小桑，她眼圈一热，没有理由也没有征兆的，眼泪自己流了下来。

那泪像她的心一样热，并不是因为伤心，而是因为勇敢。

"绿章，自己一个人坚强，很累啊……"桑菟之对着她笑，那笑笑得风情摇曳，像她四面八方都有玫瑰在盛开。

自己一个人坚强，很累啊……她的泪变凉了，自己一个人坚强……没有国雪没有父母，自己一个人真的很累啊……要怎么责备小桑？她自己何尝不是在四处寻找让自己安定的力量？所以有沈方有小桑。如果只是因为自己是女孩所以可以很自然地依靠男生，那么身为男生的小桑，要怎么办呢？"也许……是我什么也不懂……"她慢慢地坐了下来，茶凉了，水也凉了。

"不会。"桑菟之打开烧水的开关，让它继续通电，"你很勇敢。"

勇敢……

勇敢？

勇敢……嘎……

"咚咚咚……"顾家古宅的大门被人一阵乱敲，听那节奏就知道是沈方，"什么什么，我告诉你想要我再买东西给你吃，那是休想、妄想、幻想、白痴想！绿章啊来救命

啊！"

"来了来了，怎么了？"她很吃惊地去开门。

门一开，沈方一把把一个人塞到她怀里，她又吓了一跳，是莫明紫。今天莫明紫被沈方拖去修了一个娃娃头，穿了一身粉红色的球衣，加之一脸迷茫呆呆的样子还有姣好白皙的皮肤和五官，简直像个美丽的娃娃。她哭笑不得，"沈方，你怎么把他弄成这样？这粉红色的衣服从哪里来的？"

"我们副会长给他买的。"沈方说的副会长就是他生日会上的女司仪，姓江名清媛，"我怎么知道她为什么要买粉红色的？还有，你有没有东西给他吃？我一路上买了五种零食，已经没钱了。"他一转眼看到桑菟之，眼睛发亮，"啊，小桑小桑，快来帮我教他说话，我快被他气死了。"

"说话？"桑菟之"扑哧"笑了，"他不会说话？"

"我不知道怎么回事，我算给你听啊，他会说'小薇'，'我饿了'、'沈方'、'不知道'，其他没有了，快把我气死了。"沈方暴跳如雷，"还有，他喜欢吃旺旺雪饼。"

"他不是住唐先生那里吗？"顾绿章感到很奇怪，"怎么又跑到你那里去了？"昨天沈方不是回学校了吗？

"我怎么知道？我早上起来跑步，一下看见他在学校里走来走去，招惹了一大堆人围观，一问三不知，居然还穿着小薇那件很恐怖的袖子这么长的睡衣。"沈方边说边比画唐草薇那件浅粉色的纱衣，"我好不容易才把他抓住，好会跑啊！这小子以前肯定是练长跑的！"

"明紫。"顾绿章打开柜子，拿出一包旺旺雪饼，"明紫啊，你不是在唐……不是在小薇那里吗？怎么会到沈方那里去？"

莫明紫眼睛的视线随着她手里的雪饼转来转去，"我……飞……出来……"

"难道是非出来不可？"顾绿章和沈方面面相觑，桑苋之已经笑倒在那边椅子上，"咳咳……小薇难道有恋童癖……结果人家逃出来了？哈哈哈……"

顾绿章唾了桑苋之一口，"小桑不要胡说八道，明紫，你饿了吗？想吃什么？"她把雪饼给了莫明紫。

莫明紫眼睛一亮，双手捧着雪饼，"盒子面。"

"盒子面？"她想了想才醒悟他想吃泡面，"你等等，我马上弄给你吃。"拍拍莫明紫的头，他本能地随着她拍的动作歪了头，闭起了眼睛，就像乖巧地往主人身上蹭的动物。她心里好笑，到厨房去煮泡面。

"来，明紫乖，"桑苋之抽出另外一包雪饼，在莫明紫面前晃着，指指沈方，"白痴。"

莫明紫今天像完全不认识桑苋之，也不怕他，很顺从地叫："白痴。"

沈方立刻直了眼，只见桑苋之指指自己，"好人。"

莫明紫又叫："好人。"

"给你。"桑菟之把雪饼抛给莫明紫，抽出第三包，指指厨房里面，"绿章。"

"喂！"沈方听到这里叫了起来，"有没搞错？为什么我就是白痴，绿章就是绿章？你又是什么好人了？"

"难道我不是好人？"桑菟之似笑非笑。

沈方一呆，噘起嘴巴、眼睛斜斜地看地板，小小声地唠叨："虽然不是坏人，但要自吹自擂自己是好人也……"

"也很差劲。"没有预兆的莫明紫呆呆地接了一句。

沈方大乐，桑菟满眼笑意地望着莫明紫。今天莫明紫没有对桑菟之畏若蛇蝎，只听他又呆呆地补了一句："虽然不是坏人，但要自吹自擂说自己是好人也很差劲。"语调尽量模仿得温和平稳，十分耐心。

这句话明显是莫明紫从谁那里听来的，沈方捂着嘴闷笑，这种四平八稳、充满耐心地教育别人的话除了李凤宸还有谁会说？是李凤宸说的，被教育的人是谁岂非很清楚？哈哈哈哈……

"在笑什么？"顾绿章端着煮好的泡面出来，正看到沈方捂着嘴、笑得滚在太师椅里。

"在笑有人在别人面前装得阴阳怪气，背地里被人教育。"沈方翻身站起来，"对了我还要去上课，明紫交给你，你和小桑带他回异味馆，我已经打过电话告诉小薇会把明紫送回去。"

"没关系，你上课比较重要，我这两天写论文没课的，小桑你要不要上课？和沈方一起回去吧？"她的眼睛视线极干净，看别人的时候让人觉得很享受，似乎纯澈地被呵护被关心着。

沈方对她做了一个鬼脸，"小桑走吧？"

"我回去睡觉。"桑菀之笑笑，并不和沈方一路。

她才想起来桑菀之通宵陪她，一夜没睡，心里微微一震，看了小桑一眼。

桑菀之的衣发依然很整齐，看不出通宵的痕迹，他的生活习惯有些散漫，但很在意他的形象和容貌，纤秀姣好的外形是小桑很重视的。

那让他有理由相信自己需要依靠别人坚强。

让他有理由相信自己可以不勇敢，需要别人保护。

其实小桑……虽然恹恹于坚强勇敢，但是她却觉得……其实他……并不脆弱。

"走了。"桑菀之挥了挥手回他那个乱七八糟的"家"去睡觉，她几乎冲口而出"你留在我家睡吧"，但最终没有说出口，她和小桑之间……没有足以让他留宿的交情，他们甚至不够是知心的朋友。

只是很普通的"朋友"而已。

沈方也走了。

她回头的时候莫明紫已经吃完了泡面，看样子一早上吃了那么多零食，又吃了泡面，终于吃饱了。莫明紫放下盒子，睁着明亮乌黑的眼睛看她，那瞳色温柔纯真，她看了忍不住有些想笑，这孩子连吃饱了、身体觉得很满意的状态都能用眼睛表达得一清二楚，"明紫，吃饱了吗？"

莫明紫打了一个小小的喷嚏，又打了一个，很快抬起头看她，眼神亮亮的。那神气就是说吃饱了，很期待出去玩的样子。

"我带你回小薇哥哥那里好不好？"

"嗯。"他先奔到门口，然后回头，很疑惑顾绿章为什么不走。她"扑哧"一笑，脱下外套穿上外衣，到门口换了鞋子，才带着莫明紫出门。

走出风雨巷，漫步在中华南街的商店之间，她没有走钟商大学的后门、把莫明紫直接带回异味古董咖啡馆，而是走外街绕了一大圈走向异味馆所在的钟商路，希望在市区最繁华的街道走走，能唤起莫明紫相关的记忆。如果他是本市的孩子，一定对中华南街有记忆。

"嘀……"

一辆辆公交车与私家车在并不怎么宽阔的马路上掀起尘土，各色车身在行道树和绿色栏杆之间穿梭。莫明紫常常站在路边东张西望，似乎对汽车很好奇，他尤其喜欢盯着汽车的排气管看，因为那里会冒烟。顾绿章领着他在街边走，总是不知不觉被他拉到汽车道上，硬拽回来以后他又靠过去，走了半条街，她都快和莫明紫走成中华南街一景之男女角力大赛了。

"明紫！那里不能走，汽车很危险！"她再一次用力把对着洒水车冲过去的莫明紫拉了回来，"不要去玩水，回来！快回来！喂！"她的力量抵不住莫明紫对洒水车的好奇，看着他两眼发光地直迎向喷出水花的水管头，"哗啦"一下被喷了满头水，他却很高兴，追着洒水车直跑。车上的人探头出来诧异地直笑，不知道怎么会有这么大的孩子喜欢追洒水车？"喂，不要追了，这里是车道，很危险的。"

他闷头一个劲追洒水车，似乎根本没听洒水工人的话。顾绿章被他拖着在车道上跑，他奔跑的样子很青春，阳光下脚步声分外灿烂，但她心里有种说不出的苦笑的滋味，终于知道沈方每次大喊大叫是从何而来了，带着明紫在路上走真不是件容易的事。"明紫快回来！"她边跑边用力拖住他的手，身后汽车纷纷闪避，喇叭声大起，有不少横七竖八地停在了车道两旁。

"砰"的一声，她边跑边拉，终于不慎跌倒，胸口和马路撞击的时候她双手撑了一下地面，车道的柏油路面热得烫手，视线看着莫明紫仍然往洒水车追去，发丝"呼"地一扬，好几辆公交车的车轮从她耳边疾驰而过，地面震得她双手发麻。

那时候心里有一丝茫然……她看着莫明紫奔跑的背影，

她不否认那孩子跑步的样子真美，看起来真像轮朝阳冉冉上升，像前方有值得全心全意追逐的让他愉快的东西……可是他怎么能不回头……怎么能……当她完全……不存在？

明紫你有心吗？

还是你根本没有看到我跌倒，根本这世界上所有的人都像行道树一样对你来说只是布景，根本远远不如那阳光下晶莹闪亮的水重要？

"嘀……"她悚然转头，只见一个比她趴在地上的身子高出不知多少的车头向她直冲过来，地上尘土涌起，那汽车的热气和带起的风沙逼得她情不自禁闭上了眼睛，感觉到那车头与自己相撞的时候她突然理解到这是一辆集装箱运输车，突然之间清醒和极度的惊恐让她本能地叫了一声："国雪啊！"

"吱！"

一阵强烈的摩擦声，她先感觉到一半冰冷一半发热的金属贴上了自己的额角，随后尘沙弥漫她整个人翻了出去，飞沙走石似的呼啸和冲击力似乎从她身上通过了一般，但她没感觉到痛，也没感觉到车轮只感觉到温暖。

还有呼吸。

她不知道自己是被车撞出去的还是怎么翻出去的，摔下的时候背心贴着一个温暖的胸口，有人在她耳际浅浅地呼吸，心跳甚至很平稳，那种拥抱像抱着娃娃。

轻易、单纯、自然。

像抱娃娃一样的拥抱。

她听到集装箱运输车停下和车主惊呼的声音，以及周围路人纷纷发出骇然的喧哗，世界像绕着她旋转了几周然后才停下，视线清晰的时候，她看见一张肤质柔软、眼睛大大的脸，那脸庞像个粉粉的娃娃，睫毛浓密而长，短短的发丝随着微风微微地飘拂，嘴唇很小唇色浅而柔润。

粉红色的娃娃。

他不是横抱着她，而是全身都拥上去、像抱心爱娃娃那样拥抱着她，脸颊贴在她耳际，浅浅的呼吸就在她耳边，有点痒。

莫……明紫……

"哇！"路人议论纷纷，"他是怎么过来的？什么时候这孩子站在这个角度？"

"我好像看见那辆车过来的同时这孩子从前面跑回来了，不过速度太快了可能我没看清楚……"

"不对吧？我看到车已经撞到她了，她摔出去的时候正好落在这个孩子怀里，这样才比较合理。"

"你根本就没站对角度，她要是先给车撞了，早死了。我明明看见是她自己跳出去，跳到那个孩子怀里。"

集装箱运输车的司机在议论纷纷中愣了好一会儿，突然大叫一声，开着车加速往前疾驰。路人纷纷吆喝"肇事逃逸"、"叫警察来"，但在那司机耳里什么也没听见，他只记得刚才刹车不及撞上那女孩的时候，好像……真的是看见

了一头怪物！

　　有一只人面虎身的巨大怪物在他车前挡了一下。他发誓他真的看见了！但是所有的人都没有看见，车停下来的时候他和别人一样只看见那女孩平平安安地被一个男孩拥抱着站在路边，她身上甚至没有一点伤。

　　他要么自己疯了，要么全世界都疯了。

　　但他发誓他真的看到了一只怪物！

　　天啊，一只怪物！

　　可怕的怪物……

　　"明紫……"她在极度惊恐的时候叫了国雪，睁开眼睛的时候看见的却是莫明紫……那感觉像被遗弃而又拾回，又像其实自己并没有活回来而是跌下了万丈深渊，他是怎么跑回来的？他不是……在前面追洒水车吗？

　　她从他怀里抬起头，双手推开他的时候，他笑了。

　　原来越纯真的人，笑起来的时候越像太阳……她深吸了一口气，却听到他说"盒子面"突然破涕为笑，用力地握住莫明紫的肩头，她这时候觉得……原来世界是这么美好，美好得太过耀眼几乎让她无法直视！真是太好了！她没有死！明紫没有抛弃她，原来所有的人都很好、很好很好很好……

　　"我带你去小薇那里吃盒子面。"她理了一下他柔顺垂下的发丝，"明紫，你很好很好很好。"

　　他摇摇头，"小薇说，明紫是坏的。"

　　她柔声说："小薇胡说。"

他的眸色变得微微有些疑惑，那颜色几乎是变得忧郁了，"明紫是……坏的……做……坏事……坏人……"

唐草薇到底对明紫说了什么？她微微皱起了眉头，不知道为什么，虽然唐草薇是美艳而且神秘迷人的，但那个人让她……让她总有一种……想要防备的错觉。"明紫是好人。"她温柔地整理好他的衣服，突然发现他的右肩在流血，怔了一下稍微拉开球衣的拉链，他的右肩青肿了一大片，有个地方被什么东西划破了正在流血，但伤得不重。

是自己摔出来的时候伤了他？

她突然想起刚才自己究竟是怎么活下来的。明紫接住她的时候居然没有摔倒，她身上并没有锋利的东西，是什么伤了他？"什么时候受伤了？"她失声问，"你刚才也被车撞到了？"

莫明紫摇摇头，又点点头，再摇摇头。

她茫然不知道他是什么意思，拉起他的手，"我们快去异味馆包扎一下，走吧。"

她没看见，当她拖着莫明紫走路的时候，他的眼睛突然变成全黑。眼睛全黑的莫明紫散发着一股浓重的野性和浊气，但片刻之间他的眼睛又变得黑白分明，眨眨眼，仿佛完全不知道刚才自己所发生的变化，但就在这一变之间，他右肩的伤口却好了一大半，不再流血了。走到半路，他突然抓住顾绿章的手，"盒子面! 盒子面!"

"盒子面等到小薇那里就有……"她猛一转头，突然看见他的瞳孔在奇异地放大，黑色的部分放大到常人不可能的地步，一呆之间，似乎他脖子上泛起了什么斑点……一股热气从他那边呵了过来，那热气的源头热得让她瞬间联想到动物园里的猛兽，但一瞬间什么都消失了，就如是她一刹那的幻觉，莫明紫只是抓着她的手在摇晃，一迭声地叫"盒子面"。

他流血了，好饿啊……人的气息在他唇齿之间弥漫，顾绿章身上有他熟悉的味道，初生时嗅到过的那种混合着布匹、丝线、蜡烛、木箱的香气和温柔体温的味道，那是强烈的诱惑，太诱惑了……如果他没有说永远不许再吃人，他说不定就忍不住……但是小薇说永远不许再吃人，小薇说永远不许就是绝对不可以……他凝视着她的脸颊，好香啊胃里的饥饿感像有沙砾在磨，好痛啊……好饿啊……

"明紫？"顾绿章做梦也想不到莫明紫心里挣扎着是不是吃了她充饥，看他稚气的美丽脸庞上满是痛苦的表情，她扶住他的肩头，"刚才的伤很痛吗？明紫？"

"盒子面……"他饿得胃好痛，自从出生以来他只吃过两个人，再饿下去就快要到极限了，会……死……的……冷汗从额头渗出顺着发丝贴到脸颊上，"盒子面盒子面盒子面……"

明紫坚持要吃面，一定有他自己的理由。她本想坚持去医院的，但定了一定以后，微微一笑，"我们去那边的面馆好不好？别急，我们去吃大锅面。"

六　角

异味古董咖啡馆。

唐草薇端着一杯红茶，闭着眼睛正在浅呷，李凤宸拿着拖把安详地拖地，咖啡馆里微微有些暗淡的光线和街道上缥缈的声音，让空旷的房间里充满着一种可供沉思的平静，仿佛在这里，心跳，也能变慢了、清晰了。

"今天是初几？"唐草薇闭着眼睛，睫毛覆着眼线，轮廓很清楚。

"十四。"李凤宸擦过最后一块红砖，微微一笑，神情温雅宽容。

"明天十五。"唐草薇狭长的眼睛微微睁开，那偏小的眼瞳闪射出奇异的光彩，"……鬼魅横行的时间。"

李凤宸报以微笑，提着拖把回浴室清洗，然后换了一块抹布出来擦窗户的玻璃，那些玻璃逐一被他擦得晶莹发亮，完全像消失在空气中。

他并没有洁癖，有洁癖的是唐草薇，看着玻璃逐渐变得晶亮，唐草薇淡淡呵出一口气，像松了一口气一样，"你的

右手怎么了？"他再次微闭着眼睛，并不看李凤宸的手。

"快到夏天的时候，总是这样的。"李凤宸今天用左手擦玻璃，很微妙的区别，唐草薇闭着眼睛却不用看也知道。

"手腕疼吗？"唐草薇完全闭上了眼睛，"每年夏天都是这样，什么时候才能好？"

"呵呵，我想永远也不会好吧！"李凤宸的左手和右手一样灵巧，说话之间，他已经从房间这头擦洗到那头去了。

快到夏天的时候，明天是阴历十五……唐草薇放下喝了一半的红茶，鬼魅横行的时间……伤痕复苏的季节……

这两天，会发生很多事，历年都是如此。

桑菀之回家的时候，庭院里和他出去的时候一样紊乱。

杂草丛生的庭院里，只有那架钢琴在初夏的阳光下闪烁着无言润泽的光辉，像比情人更温柔的伴侣，虽然无语，却温暖如母亲。

他的手指慢慢地从黑白琴键上划过，声音由高到低，一声一声地响起，从极尖锐清脆，到极低沉恢弘，但怎么听，都一声声不和谐，一声声很孤独。倚靠在钢琴上，他把头抵在上面，一夜未眠，突然觉得很累，头很痛。

"其实你……其实你根本不必想要依靠别人……小桑你不是喜欢男人，你只不过喜欢男人给你的……安全感……"

他的眼睛在笑，绿章很勇敢，这句话好多人都想对他说，却从来没有人敢看着他的眼睛开口，别人都觉得……撕破了这层纸，他会发疯。

　　或者连他自己都以为……是会发疯的……

　　但是什么也没有，人其实比自己想的更有忍耐力。他一直给自己借口想要被保护被接受……被爱……在各种各样的人那里都找不到他想要的那种感觉……但或者在那样一个平淡无味的女生那里，竟然得到了……类似知己的声音。

　　那不是他想要的宽厚的爱，但是一种声音，一种……被真心关怀的声音，有些像他想要的那种……稳定的、无论发生什么事都会存在而且永远不会变的温暖。

　　他想要一座大山，而绿章却仿佛是……像那座山的石头。

　　头痛了，他其实两年没想过自己的事，甚至没想过任何事，浑浑噩噩潇潇洒洒地一个人活着，也没什么不好；但有一天想起什么来，又好像哪里都不好……

　　头痛……桑菟之从钢琴边站了起来，突然"啪"的一声响，他心里清楚是手里的手机跌到了地上，却没有力气去捡，片刻之间眼前一片空白，头痛爆炸般刹那扩散到全身。似乎有几秒钟他失去意识，等他重新看清眼前的景象，天色竟然已经暗了。

　　他像在五秒钟内失去了五个小时的时间，怔怔地在钢琴边站了一会儿，他突然发现庭院里多了一个人，"小薇？"

　　唐草薇手上戴着手套，手持花剪正在给他的小院子修剪花草，闻声抬起头，"嗯？"

"我……"桑菟之举起手按住自己的头，"怎么了？"

"老虎的滋味是什么样的？"唐草薇直起背，诡异地问，唇色在暗淡的光线中浓重得近乎黑色。

"老……虎……"桑菟之心跳加快，脑子里有些影像在闪动，好像真的有些老虎扑咬的记忆，但那怎么可能？"什么老虎？我……怎么了？"

唐草薇拖平的语调淡淡地说："刚才钟商动物园死了一只老虎，有人说看到了一匹马在虎山跑过，那匹马的额头有个角。"他慢慢伸出戴着手套的手指，按到桑菟之额头上，"就像这样的……白色的角。"

桑菟之像被直接触摸了心脏，整个人惊了一下，本能地闪过他的手，"角？"

唐草薇拾起他庭院里的一片碎玻璃，斜对着他的眼睛，平淡地说："这种带角的马叫做駮，也叫做独角兽。中国古代传说这种駮以狮子和老虎这类猛兽作为食物，是凶猛的动物。"

碎玻璃的反射中，桑菟之额头上赫然多了一个很小的凸起，白玉一样晶莹，从纹理和螺旋来看，那的的确确是一个角。他猛然抬起头看着唐草薇，"駮？"

唐草薇眼睛微闭，"駮，食狮虎的兽，也是会变人身，能在血亲中遗传的。"

桑菟之的眼睛笑了，笑得风情万种，"我如果是駮，怕駮的人，又是什么？"

唐草薇不睁眼，用轻而底气深沉的声音慢慢地说："駮是狮虎的天敌。人面虎身的兽，自然是会害怕的。"

"人面虎身的兽。"桑菟之倚着钢琴笑，笑得像整个庭园都有白花开放四散飘落花瓣，"你是在说马腹吗？"

"我在说莫明紫。"唐草薇缓缓睁开眼睛，眼瞳小而妖异，光彩黑而偏蓝，十分璀璨。

刹那间庭园似电闪雷鸣，被炸亮了半边天空。

桑菟之曾经引《山海经》说"蔓渠之山，其上多金玉，其下多竹箭。伊水出焉，而东流注于洛。有兽焉，其名曰马腹，其状如人面虎身，其音如婴儿，是食人"。

马腹是一种兽。

可以说是一种怪兽，也可以说是一种神兽。可变化人身，食人为生。避免被马腹捕食的办法有两个，一个是不要惹怒它，另一个是供奉它。给马腹的供品必须是有毛的祭品，它食用了祭品，作为交换就要听供奉人的指挥。

但普通的马腹化为人身最多也就是三四岁孩子的样子，"莫明紫"却已经长到十五六岁的模样了。

他还是第一次化人。

他是一只不一般的马腹。

莫明紫甚至察觉到了桑菟之身上那八分之一的"駮"的

血缘，而对"驳"的气息稍重时的桑菟之恐惧不已。

充满灵性的奇异的生灵，比之鬼魅遍布的古董毫不逊色。

是珍品。

"你想驯服他？"桑菟之没有半点吃惊的表情，淡淡地说。

"嗨——"唐草薇面无表情地拖长音，尾音往上飘得几乎渺去，"所以不许你吃了他。"

"我为什么要听你的话？"桑菟之艳艳地笑。

"今天我救了你。"唐草薇也淡淡地说，"第一次变身的驳，觅食的时候是很危险的。你要更小心警察和记者，他们对杀死老虎的独角马都感兴趣。"

"你就不怕马腹再吃人？"桑菟之的眼睛在笑，"如果他吃了顾绿章呢？"

唐草薇闭上眼睛，转过身，低低而稳定的声音缓缓传来："那和我有什么关系？"

"小薇，你不了解你自己，也不了解别人。"桑菟之手插在口袋里笑。

"哦？"唐草薇走到门口，背影纤细而色泽深沉。

"我不吃莫明紫，我是人，他也是人。"桑菟之倚着钢琴看他没入傍晚的暗色，剧烈跳动的心缓缓平息下来，伸手触摸着自己头顶的"角"。

他见过駁。

所以相信这种事。

在他五岁的时候，看过爷爷房间里，有一只长角的黑马。

他是一只駁。

莫明紫是马腹。

天敌。

✺　　　　✺　　　　✺

风雨巷。

李凤宸推着购物车，他借唐草薇在桑菟之那里的时间买了一点西红柿。那西红柿的颜色很红润漂亮，非常新鲜。风雨巷过路的男男女女多数都回头看他几眼，一个穿着白色唐装、推着购物车拿着西红柿的优雅男人，眼神温和如水，一看就知道是个居家好男人。

唐草薇从小巷里走出来，李凤宸没有回头就知道他出来了，推着购物车往后转，正好和唐草薇在巷子口并肩，一步也不差，"怎么样？"

"没什么。"唐草薇闭着眼睛走路，仿佛能感觉风雨巷的任何障碍和气息，与李凤宸并肩走远。

天色已渐渐暗淡。

✳　　　✳　　　✳

"吃饱了吗？"顾绿没见过这么能吃的孩子，居然能在面馆吃下十碗拉面，那简直都不正常了。但不知为何，她的心里有一种淡淡的直觉，在这个奇怪的孩子身上发生的任何事，或者都不奇怪。

他是个谜。

"嗯。"莫明紫放下第十个碗，其实肚子还是饿，但是没有那么饿得要发狂。他第一次认真地看着给他食物的女人，这个"食物"，像小薇给他睡的被子，暖暖的，软软的，看起来很舒服，不像其他食物那么脏。而且她身上有他出生时候的味道，很怀念的味道，不太饿的时候不想吃她，只想看她。

每当明紫脸颊热起来的时候，肤色白里透红，她越看越觉得他实在很漂亮，像个寿桃包子般的娃娃。摸了摸他有些散乱的头发，她从包里拿出木梳替他梳了梳头，"走吧，带你回去。"

文静温柔的女生和漂亮的弟弟？面馆对桌有个正在喝啤酒的男生轻笑了一声，"现在流行姐弟……"一句话还没说完，同桌的笑了起来，吹起了口哨，声音很轻佻。

"哪……"莫明紫突然睁大眼睛往对桌看去，他感觉到不友善的气氛。

"嘘！"她轻轻拍了拍他的肩膀，"走吧。"

"看什么看？"对桌的男生"砰"地拍了下桌子，对莫明紫瞪了眼。

莫明紫突然往前倾了一下，全身肌肉都静止了下来，目不转睛地看着对桌男生的眼睛。

顾绿章一阵紧张她感到一种异样的气氛，像挑衅并不是从对桌而来，却是从明紫身上散发，并且……不像"人"在生气。

像野兽自卫的紧张。

"你他妈的有病啊？看什么看？有什么好看的？"对桌的男生被莫明紫盯得莫名其妙，"砰"的一声真的拍案而起，"我告诉你转头，转！"他大步走过来一把抓住莫明紫的肩，把他的头往墙那边扭，"再让我看到你看我……啊……"他突然张口结舌，全身一僵仰后倒了下去，"扑通"一声摔在面馆地上，后脑撞到另一张餐桌，竟然头破血流。

"明紫！"她想也没想一把把莫明紫拉了过来，护在身后，张开手臂面对着突然寂静的面馆。

"喂！阿三！喂！"和他同桌的男生跑过来失声叫，摇晃他的身体，惊恐的视线四下转动，"喂，你们救救他，帮

帮忙好吗？喂……"

顾绿章颤抖地拿出手机来打 120，手指还没按好，面馆里轰然一声轩然大波，已经有人先打了。

谁都看见，莫明紫什么也没做，连动也没有动一下，那男生突然就摔下去了。

但没有受到很大的冲击力，人一般是不会突然往后摔下去的。

见鬼了？

"绿……章……"莫明紫低声叫她，突然被这么多"食物"的目光盯着，紧张感节节高升，喉头和受伤的肩头在发热，身上有些地方变得没有力气，但又有些地方有些什么很不好的东西控制不住……"绿章……"

他绵软的声音像极稚弱的动物在求救，她的手按到他的手，紧紧将他的手握住。不知为何，在这片刻之间，即使受伤害的不是明紫，她却觉得明紫在这时候特别需要什么力量支持……而她想给予想保护的心情和她握住国雪的手的时候截然相反，但为何心情一样澎湃……一样起伏……嘎？

"呵……呵……"莫明紫的呼吸变急促了，绿章又感受到了那种宛若铁栅栏猛兽般的热气，紧紧握住他的手。她的颈项绷直，不敢回头，手指下的手掌柔软稚嫩仿佛完全没了骨头，只有紧紧抓住才能让她抵御那种心潮起伏。

　　她没有回头，没有看见她背后莫明紫的眼瞳在缓缓放大，他的脸颊伏在她背上，她感觉到了他炽热的呼吸，那颈项上泛起的斑纹她看不见……他因为呼吸而张着口，整排的牙齿从牙床里慢慢长了出来……

　　她的身前、面馆的人们却因为被她挡住视线，看不到莫明紫身上诡异的变化。

　　"哦，在这里。"面馆门口传来有人淡漠低沉的声音，有点含糊，"怎么了？这里。"

　　莫明紫的牙齿在刹那收了回去，发热的脸颊片刻间变得一片苍白。

　　小薇？她愕然地看着唐草薇和推着一部购物车西红柿的李凤宸站在面馆门口。唐草薇眼瞳微闭，李凤宸仍带着微笑，站在唐草薇身后。

　　"怎么了？"唐草薇问，眼睛却完全没看她。

　　"明紫……不，有人昏倒，明紫好像撞了他一下。"她面对唐草薇的时候，像面对着一个思维无法预料的神，竟然有些诚惶诚恐，脑子里有些空白。

　　"这个吗？"唐草薇蹲下轻轻摸了摸那男生的额头，"怎么了？"

　　"他……"

　　"被打昏了！"和那男生一桌的朋友顿时指着莫明紫

叫，"赔医药费！和我们上公安局！否则我告你！"

唐草薇的眼睛完全闭了起来，手下那男生"啊"的一声叫了出来，猛地坐起来，莫名其妙地看着眼前盯着他的许多眼睛，捂着疼痛的后脑，"他妈的……"一句话骂出口顿时又收了回来。

"他……怎么了？"唐草薇闭着眼睛，没有什么表情，低沉地问。

朋友摔得诡异，醒得诡异。那男生骇然地看着莫明紫和唐草薇，"你……你……"他拉起朋友，匆匆撂下一句"走着瞧"，两个人跌跌撞撞地走了。

面馆里人们仍在看他，有些人已经开始交头接耳，他们认识异味馆的唐草薇，唐草薇那些诡异的古董和夜里传说的影子，不仅仅在钟商大学里流传，在风雨巷附近也很盛行。那男生奇怪的跌倒和奇怪的醒来，和奇怪的唐草薇脱不了干系。

"看什么？"唐草薇缓缓转过头来，对着顾绿章睁开眼睛，那浑圆完整的眼瞳让她悚然，"走吧。"他的语调一如平时，没什么起伏，底气深沉。

"是。"她拉着莫明紫站起来，跟在唐草薇身后，李凤宸已经替她付了面钱，推着购物车，走在她和莫明紫身后，这个男人仍然带着温存的微笑。

像跟在主人背后的鹿……

她这种被操纵的感觉又升上来了，挥之不去的是反感，为什么小薇走的方向始终让人无法理解，以至于无法认同？

那样……会让跟在你身后的人迷茫，然后失去方向……

我不喜欢无法预料的前景，小薇，我是真的真的不喜欢走在你身后。她拉着莫明紫的手，渐渐地，走到了与唐草薇并肩，然后快出了他半个身。

唐草薇的眼睑微微挑起了一线，她……

身后有人笑了，他没说什么，五个人绕过半条街，回到了异味古董咖啡馆。

"为什么出去了？"回到异味馆，唐草薇在太师椅上坐下，李凤宸推购物车入厨房。

"饿……"莫明紫退了一步躲在顾绿章身后，他怕唐草薇，但是绿章她……她像被子那样，可以遮光，又暖暖的……软软的……

她不由自主地和唐草薇对视了，微笑了一下，"小薇，明紫只是饿了。"

"食物，"唐草薇狭长的眼睛眼睫很长，重彩之余给人一种犀利的针刺般的感觉，"在那里。"他没有指哪里，但顾绿章一眼看到了放在木桌上的各式面包和甜点，"为什么出去了？"

"我……"莫明紫躲在她背后，发出了一些小动物那样"呜呜"的鼻音，说不清楚的呼噜声。

"为什么出去了？"唐草薇似乎是充满耐心地问了第三次。

"我不喜欢，不喜欢不喜欢……"莫明紫终于在顾绿章背后"咿咿呜呜"地低声说，"不喜欢小薇，不喜欢不喜欢不喜欢……"

不喜欢小薇？顾绿章心里微微一震，明紫的意思是说他不喜欢住在这里，他害怕唐草薇吧？为什么？小薇对他说了什么？她记得明紫说过……小薇说他是坏的。

"不喜欢……"唐草薇低低地重复了一遍，没有情绪地问，"为什么？"

莫明紫没有回答，顾绿章反手把他拉到身前来，他的眼睛充满畏惧，看着唐草薇，像看着神明、又像看着爪牙森然的怪物，那是敬畏与恐惧混合的眼神，让人见了不禁要怀疑此时莫明紫眼里的唐草薇……究竟是什么模样？

"以后不许不喜欢。"唐草薇淡淡地说。

莫明紫在她背后震了震，她对唐草薇生出了一种难以言喻的反感，本就有莫名的防卫感，她从来没对一个人产生这样的感觉，一生之中，从未讨厌过任何人，小薇是第一个。什么叫做"以后不许不喜欢"？别人不接受你，难道你自己不应该反省自己究竟有哪里不对？"不许"那是什么态度？小薇你和明紫一样不过是普通人，难道你以为你是主宰世界的神不成？

"以后也不许从这里出去。"唐草薇又淡淡地补充。

"小薇！"她往前踏了一步，"你没有权力限制明紫……"

"听见了吗？"唐草薇充耳不闻顾绿章的话，低沉地问。

"嗯……嗯。"莫明紫的眼圈有点红，答应得委屈到了极点。

"听见了吗？"唐草薇微微仰头，下巴在咖啡馆隐约的光线里显得特别白而光滑，声音低沉，"权力，从来都来自顺从。"你也没有权力限制我，知道了吗？"

你……她愕然听着他的回答，他居然这样说话……完全不顾及别人的感受，人即使可以我行我素，但是不能将别人视若草芥，你难道不懂得尊重别人吗？果然没错，小薇是个让她不能接受的人，她能接受桑菟之，但是不能接受唐草薇。

李凤宸穿着围裙在厨房里洗菜准备晚餐的材料，微微侧眼往大厅里看，草薇被讨厌了呢……那个女生不知道，如果刚才草薇晚到一步，或者整个面馆里的人都会像她的父母一样，人间蒸发……

　　明紫也很讨厌草薇。

　　他继续微微一笑，清水洗着西红柿颜色特别姣好可爱，但草薇却在保护那只马腹……

　　总是要被人讨厌的人啊……完全不懂得做好事的表情和语气，连眼神都不会。

七　九尾狐

这一天晚上，唐草薇仍然留顾绿章在异味馆吃晚饭，刚才不讲道理的语言仿佛对他来说一点也不稀罕，他似乎并不觉得自己对别人态度恶劣。

吃饭吃到一半，李凤宸打开了电视。

"钟商市继顾家绣房父母失踪一案之后，今天早晨十点半左右在城西五谷别墅再次发生失踪案，失踪的也是一对中年夫妻，男子为本市第二建造工程材料部经理。和顾家失踪案不同的是，失踪现场血迹斑斑，留有一枚断裂的猛兽犬齿。目前该犬齿正在被相关专家检验，案情的具体细节还在调查，本台将会对案情进行追踪报道……"电视上播放的是钟商新闻。

今天早上发生第二起失踪案？顾绿章顿时忘了对唐草薇的反感，猛地从木椅上站了起来。

唐草薇也睁开了眼睛，似乎新闻的内容让他有些意外。

"顾小姐，"他问，"明紫从早上一直都和你在一起？"

"当然。"她目不转睛地看着电视，那节目只有两三分

钟，她却对着电视看了很久很久，仿佛还能从闪动的影像里看到更多疑问、更多答案。

莫明紫也呆呆地看着电视，看着刚才镜头里那些乱七八糟犹如经历了一场大搏斗的现场，他没有任何反应，像应该看见的一样。

"那就是说……有案件就有凶手，假如不是这一个，那就是另一个。"唐草薇慢慢地喝下一口萝卜汤，说得平淡简单。

她却疑惑地看着他，她好像猜到了一些什么，又好像什么都没有猜到……"小薇，你在说什么？"

"没什么。"唐草薇又闭上了眼睛。

过了一会儿，电视又说起今天下午动物园跑进一只长角的白马，在虎山奔驰，不知怎么地踢死了一头老虎的怪事。动物园的监视器录下了那头白马的模样，她呆呆地看了电视好久才看清了它在演什么。一匹奔驰如电的白马，就如欧洲电影里的那样神骏矫健，从镜头前掠过像腾云驾雾一样，额头上有个很小很小的角。监视器只拍到它奔进虎山，却没拍到它什么时候出来，老虎又是怎么死的，也是众说纷纭。记者采访老虎的饲养员，饲养员说老虎身上没有一点伤，就是突然死了。

最近钟商市的怪事多了。

莫明紫看着电视上的白马，脸色变得更惨白，本能地想往顾绿章身后躲，却又偷偷看了唐草薇一眼，终于还是不敢，低下头不敢看电视。

原来，顾家不只出现了一只马腹，那间相传了三百多年的古宅，究竟在那个下午和远古相通后，召唤出多少怪物。或者只有天，才知道了。

唐草薇闭着眼睛。

他只想收藏一只，如果是太多了，没有兴趣。

话说回来，顾绿章能活着还真是奇迹。不过初生的神兽都有溯源的趋势，追随初生巢穴的味道并将之霸占或者毁灭，那是一场势在必得的战争。

她，要么被附体；要么被撕碎作为食物。

也就是近来神兽的异动，连累了桑家"駮"的觉醒，让一个只带有駮八分之一血缘的人苏醒了。

它们是气息相同的东西，是亘古以来不灭的传说。

也是野兽。

野兽……是不能将之当作为"人"的东西，即使它们和人很相似，但是一旦你掉以轻心将它们当作是人，它们却会用野兽的心，在你最不设防的时候，自私地背叛你……

因为它们是野兽。

它们自卫的本能，远在友善之上。

野兽就是野兽，无论它们怎么像人、怎么和人混血，在感到痛苦的时刻，最终活下来的，一定是野兽。

"啊……"电视的光正在闪烁，莫明紫突然低低地发出了一些声音，犹豫了好一会儿，才低低地叫，"小薇……小薇……"

唐草薇却似在出神，没有听见。

夜色变深了。

窗外有风吹过，道路边的树木摇摇晃晃，树叶飘摇的沙沙声传到馆里变得不真切，不留神的话是听不出来的。

"小薇，狐……狐……"莫明紫突然惊惶地叫了起来，"狐……"

厨房的流水声停了，李凤宸关了水龙头。

顾绿章突然感到一阵寒意，好像寒风透过玻璃穿了进来，整个馆里的窗帘都在飘拂，桌椅"吱吱"摇晃。她的目光从电视上移开，刚刚移到窗户，突然大吃一惊——一双眼睛透过玻璃正看着她——那是一双清晰的狐眼！借着咖啡馆暗淡的灯光，她清清楚楚地看到窗外的街道上站着一只毛发蓬松的狐狸，那狐狸几乎有豹子那么大，身后九条尾巴扬起，尖尖的鼻子正顶在玻璃上，呵出一团白色的水雾。

那是什么东西？她眼花了吗？那是什么东西？她张口结舌，惊恐万分地扶着桌子往后退，手指着窗外。但在极度的惊恐之下，竟然说不出话来，"啊……啊……"

"九尾狐。"唐草薇把正触着唇线的汤匙慢慢放了下来，绿章已经惊恐到话都说不出来了，但唐草薇的动作却仍很优雅，"中国传说中，一旦出现就将天下大乱的神兽，吃人。"

"天……这一定是……骗人的吧？"顾绿章失声叫了起来。正当她脸色惨白浑身发抖的时候，那只豹子般大小的九尾狐穿过了厚实的墙壁和玻璃，带着一阵屋外的寒风，悄无声息地走了进来。

"呃——"莫明紫报以低沉警戒的嚎叫。

唐草薇微闭起眼睛，居然还在喝汤。似乎九尾狐入侵异味馆，对他来说毫不稀奇。

那妖异的生物一步一步，脚步比猫还轻地走到了顾绿章面前。

相差十步。

她是吓得呆了，从九尾狐口中呵出一种熟悉的热气，她似乎在哪里也曾感觉到过。她并不害怕那白牙森森的狐嘴，而是突然之间，眼前出现了绝对不可能出现的怪物，她整个人生所坚信的理论崩塌了，世界就如倒转了一般。

这怎么可能呢？

正在她惊愕恐惧的时候，身边传来了另一声低沉但震动深远的兽嚎，她的眼角余光看见——莫明紫的眼睛发出异样的光——然后变得全黑——然后手臂和脖子冒出斑纹——然后衣服被撕裂、双手伏地——他片刻间变成了一只人面虎身的怪物！

那又是什么?

怎么可能?

怎么可能?！怎么可能?！

她双手抱着自己的头,急促地呼吸着,心脏"怦怦"地跳着,国雪国雪国雪……国雪……国雪我疯了!我疯了!我疯了,我一定是从昨天才开始想你,今天就疯了……

在她心情紊乱的时候,一声虎啸,莫明紫化身的马腹一跃上前,以宽厚庞大的虎身挡住了九尾狐的去路,抬头发出了一声震天的啸声。

九尾狐不出声,却机敏地往后跳了一步。它的体形没有马腹大,但是看步伐却比马腹灵敏轻捷。它的目光仍然凝视着顾绿章,这屋子里的人不少,但它显然只想吃了顾绿章。

"啪啦",她转身踉跄往前跑,奔出去没两步就到了墙边,转过身看着九尾狐。莫明紫化身的马腹牢牢拦住它的去路,这让她的惊恐淡去了不少,不管到底是人还是怪物,至少明紫是个好孩子,因为他在救她……目光扫到唐草薇,他一个人坐在餐桌边上,微闭着眼睛、有条不紊地吃着海鲜餐。她说不上有什么感觉,突然眼睛里冲上热气、有种想哭的感觉,为什么人与人之间友善与冷漠能相差这么多?而如果国雪在的话……国雪在的话,他又会怎么样呢?她竟然想不出来,怔怔地望着低吼着、阻拦九尾狐的莫明紫,如果国雪在的话,他会为自己这样拼命吗?

对不起，我竟然想象不出来……国雪拼命的样子……

即使是舍身救人的时候，他还是那样冷静、那样冷静……

在两只怪物相互盘斗撕咬，发出震天嚎叫时，她居然一手捂着面颊，痴痴地想如果国雪在的话，他会怎样？

对不起，我还是想不出来……

国雪对不起、对不起……

唐草薇从擦得晶亮的玻璃中看见她呆呆地站在那里，表情从惊恐变得黯然，然后竟然……几乎要流泪了。

在快要流泪时，她本能地眨了眨眼睛，微微一笑，睫毛之间有些晶莹的东西在闪。

他看到了忍耐。

在这个平淡无趣的女生身上，他看到最多的一直是忍耐。

忍耐。

人对自己的怀疑、迷惘、不信任、不确定，能忍耐到什么时候呢？

到老？

到死？

如果不老不死呢？

那要怎么办？

"嗷呜——"莫明紫发出了一声震天动地的虎啸，九尾

狐无声无息地闪了一下，突然间异味馆里出现了第二只九尾狐，站在和先前那只完全不同的方向，一步一步往顾绿章这边走来。

幻影？还是化身？

莫明紫低低嚎叫着，张大了白牙森森的口，口中呵出的热气蒸着一股令人窒息的味道，白牙映得那唇舌尤其红。而九尾狐的舌头却是黄色的，在微显褐黄的獠牙之间闪烁，弥漫着一股腐烂和铁锈般的气息，它四足灵活，在莫明紫庞大的身躯之前奔跑来去，褐红的尾巴扫来扫去，居然没有半点声音。

另一只突然出现的九尾狐却走近了，站在一边歪着头、静静地看着顾绿章，她一步一步后退，一直到全身贴在墙上。该怎么办？能怎么办？眼角的余光看见唐草薇依然坐在不远处的古董椅上，优雅地浅呷他海鲜餐后的柠檬红茶，她的目光在唐草薇和莫明紫之间穿梭，不知为何突然之间明白——小薇他——早就知道明紫是怪物，一见面他就知道明紫不是人，他却从来没有说过……

就像平常得不值得他去说，也像他一直站在别人人生的阴影里，一直用冰冷的眼睛没有温度地看着别人的故事在不停变化，而他连一丝一毫都没有参与一样。

那双眼睛，和凝视着她的九尾狐的一样，不可信任。

她从唐草薇的咖啡馆里找不到能够呼救的人，唯一温暖的来源，居然是那头人面虎身的可怖的兽……

"明紫——"她全身变得和墙壁一样凉，在情绪变得歇斯底里之前，她突然用尽她所有能逃跑的力量吼了出来。

这一声像铁锤砸碎了玻璃，击破了咖啡馆中异样低迷而危险的气氛，莫明紫蓦然回首，颈部的毛一下子竖立起来。就在刹那之间，九尾狐突然发出了一声与它的身躯全然不符的惊人的嚎叫，蓬松的毛发一收，它箭一样蹿了过来，一口咬在莫明紫颈上，口齿之间的热气呵出，刹那之间在明紫黑黄交错的颈上熏出了一大片黑色。

"明紫怎么会是……这样……"她看着眼前奇异凄厉又可怖的情景，轻轻地问，她已经……快要崩溃了……

小薇……他居然还在喝茶……茶匙和瓷杯偶尔轻轻接触的声音她听见了。

凤宸他……竟然还在洗碗……厨房溅着水花的流水声她也听见了。

明紫变成了怪物，和九尾狐厮打在一起，那只九尾狐咬住了他的脖子……大厅里充满了九尾狐的低嚎声。

世界不应该这样。

这一切变成这样实在太荒唐可笑了！太奇怪了！

她顺着墙壁慢慢软倒在墙角，国雪、国雪啊……你什么时候……才能不救那个孩子……来救我？眼泪在她想到这句话的时候终于盈满了睫毛，终于眼前光怪陆离的一切都变得

更加光怪陆离更加模糊，眼泪却还是没有掉下来。

"绿章。"有人的声音像知道做错事那样小心翼翼。她尖叫一声，好想捂住耳朵不听他说话，但仿佛所有的力气都在问那一声的时候用完了，只是心里恐惧，手臂却动不了。

"这就是野兽。"唐草薇的声音冷得像从来没有热过的水晶球，与人世相隔很远。

她不要听！明紫……那么温柔、无辜、天真的孩子，那是一个小孩子、想要保护她的小孩子……

"他是一头食人兽。"唐草薇的声音毫无阻隔地由空气中传来，她全身起了一阵鸡皮疙瘩，刹那间仿佛看见他那妖艳绝伦的红唇在翕动，色彩浓重得让人不可承受，"食人兽，天生一定要吃人。"

一直静静站在顾绿章身前的那只九尾狐褐黄的小眼仿佛在笑，在另一头九尾狐咬住莫明紫的脖子把他往外拖时，它终于一步一步、轻轻地走到了顾绿章身前，歪着头看她，仿佛看着一件从来没有看见过的东西。

重新变化为人的莫明紫，脖子依然被九尾狐牢牢咬住，他挣扎着往顾绿章这边走来。九尾狐牙齿一动，莫明紫呜咽一声，发出了痛苦的声音。

"喝——"的一声怪异嚎叫，他颈边的九尾狐突然消失，站在顾绿章身前的九尾狐猛然向她扑了过来，那果然是幻象！

"噢——"一声虎吼，莫明紫伏身下来再度化为人面虎身的怪物，一掌往九尾狐背后拍去，他全身的肌肉耸动着舒缓的节奏和强劲的力量，"啪"的一掌把九尾狐从她身前拍了下来。

猛虎的威严，在这一纵一拍之中表现得淋漓尽致。

九尾狐滚落到一边，翻个身又站了起来，突然另一只九尾狐再度出现在莫明紫颈边，这回它用力撕扯莫明紫颈部的伤口，用力把他往外拖。

那模样简直就如一只豺在活生生地抢食一只身躯庞大的马！

明紫……明紫——明紫！

"啊——"她猛地站了起来，手无寸铁地向那九尾狐扑了过去。

她站在墙角骇然看着第二只豹子般的怪兽走到她面前，九尾狐那森然的眼睛里没有表情，肩头一耸，放开莫明紫并向她跃来的姿势甚至轻盈得出乎她的预想——像扑倒一只鸡，甚至是一只蚱蜢。

连挣扎的声音都没有。

人影一闪。

"啪"的一声，一阵狐毛纷飞，在莫明紫身前颈边的九尾狐突然发出了一声尖锐的惨叫，瞬间消失得无影无踪。异味馆里寒意骤减，飞扬的窗帘和桌布渐渐静止下来，一地橙

色的短毛缓缓落下，那是九尾狐的毛发。

"凤……宸……"她怔怔地看着身前多出来的人，脑子里一片空白。

李凤宸仍穿着围裙，左手拿着一个西红柿，身上干干净净的、没有半点痕迹，脸上仍带着温柔宽厚的微笑，皮肤白皙，身材颀长。

好像刚才拦住九尾狐，不知道用什么东西让它狐毛四散的人不是他。

她的世界持续旋转、颠倒……

她一直以为李凤宸只是唐草薇的雇员，只是一个很喜欢做家务的男人。

但是能让人看也没看见就击败一只怪兽的人，那是什么样的人……

突然之间好想哭，为什么他们……都不是她所想的样子？只感觉此时此刻，所有的人都欺骗她，每个人都有面具，还有面具下奇怪的脸，她到底应该怎样才能回到原来那种简单平静的生活？到底怎样才能找回父母？虽然看见了怪兽，但只让她感觉找到父母的时刻是那么遥远，远得完全……完全不可期待……

"顾姑娘，受伤了吗？"李凤宸扶她站好。

她对他勉强笑了笑，"没……谢谢你救了我。"

李凤宸的眼睛看人却很温暖真挚，甚至让人安心喜欢，

"你很客气。"

他很少对着人说"你",这让她的微笑迟滞了一下,只听他继续说:"不必那么客气。"

凤宸的意思是,她对人不够坦诚不够真心吗?绿章知道自己此时敏感又尖锐,却不能不那么想。眼角看到唐草薇的侧脸,想起他曾经对着她说"人,不必附和任何人"。这话是什么意思?

"失礼了。"李凤宸对她微微鞠了鞠躬,退回厨房继续洗菜。

她抬起眼睛望去时,正好见到人面虎身的莫明紫踏着优雅的脚步缓缓走到唐草薇身边,侧倒了下去。他的颈部伤口朝上,并没有见殷红的血迹,但也已皮肉翻卷。唐草薇眼睛微闭,垂下手正好搭在莫明紫头顶,莫明紫低头伏地,那是一种驯服的姿势。

她仍然看见莫明紫紧张得全身都在发抖,那些充满美丽斑纹的毛发在颤抖,心里一阵冲动,脱口而出,"小薇你怎么能——"

"什么?"唐草薇的双眼无感情地移向她。

"怎么能……把明紫当……动物……"她的冲动在他的视线下急速变冷,说到最后几不可闻。

"哼,懦弱愚昧……"唐草薇只是扫了她一眼,那语调也没有讽刺的意思。但他平淡冷漠的语气更让绿章觉得无地自容，"不管明紫是什么东西，你都不能……不能不当他是人，他是很天真的孩子……"

"吃掉你父母的好孩子吗？"唐草薇的手指白皙光洁，微微蹭了蹭莫明紫头顶的毛发，"野兽……就是野兽，马腹不仅是野兽，还是猛兽。"

吃掉……我父母的好孩子？顾绿章眼前突然变得一片空白，马腹？什么……马腹……马腹不是一种……妖怪吗？小桑说马腹吃人……人脸虎身……会变人……可是她、可是她从来没有把马腹和明紫联想在一起……

脸颊白里透红、在阳光下追逐水花的孩子，在她遇到危险时会冲回来救她的孩子，想保护她把九尾狐挡在身前的孩子，竟然是——让她父母消失的凶手？怎么——可能？怎么可能啊？！

"啊！"她抱着头发出一声大叫，"啊！"

莫明紫抬起头，充满疑惑地看着她，唐草薇手指加力，把他整个头按了下去，将他的动作牢牢控制在手中。

叫完那一声以后，顾绿章顺着墙壁无力地坐下，望着天花板，自从参加完沈方的生日会以后，她的生活就已经脱轨，开始走着不可想象的路。"国雪你告诉我，我一直不是在做梦……"她喃喃地说，眼泪顺着面颊滑落了下来，落在指间，冰凉的。

她常常想哭，但是从不落泪。

这是第一次……流下眼泪来。

"明紫你告诉我，你真的……吃了我爸爸妈妈？"她轻轻地问，脑子里没有勇气回想和爸爸妈妈在一起时简单却温暖的日子，却浮现她快被车撞到的时候，莫明紫冲过来救她的样子。

原来……她是有看见的。

只不过那时候世界都颠倒了，她拒绝看到更多不愿看见的事。

那时候明紫听到车轮声转头，看到她跌倒，然后跑了回来。她不知道他怎么能跑得那么快，奔跑的时候脸上仍然有纯真的笑容，就像苹果，也像太阳；车撞到她的时候明紫还离她有十步那么远，汽车带起的热风掠过她耳边的时候，一只步伐矫健、人面虎身的怪兽迎着汽车撞了上去——

有很轻微的"砰"的一声，那怪兽的身躯很柔软。汽车在堪堪撞到她的时候被怪兽回撞后倾，司机借机刹车，怪兽撞上汽车之后仰后翻滚了好一阵，在翻滚的时候不忘把她叼在口中。世界自此天旋地转，等她睁开眼睛，已经在明紫怀里了。

他那时就像抱娃娃一样抱着她。

1
3
3

明紫的怀抱单纯、温柔、简单而快乐。

这种事怎么能忘记？

怎么能忘记？

小薇说明紫吃了她爸爸妈妈，小薇虽然很讨厌，但……不会说谎……

心里涌动着熔岩般的情绪，她看见明紫点了点头，又摇了摇头。

"明紫你……真的吃了我爸爸妈妈？"她轻声再问了一次。

莫明紫点了点头。

她坐在地上，抱住了头，不再说话。

她坐在墙角，像一团卷起的纸。

莫明紫突然挣扎起来，从唐草薇的手指下冲了出来，很快冲到顾绿章身前。他的身躯虽然很大，脚步却一直很轻，到了她面前，没有发出半点声音。歪着头看了顾绿章一会儿，明紫的表情很困惑，他突然奔进厨房，又很快地奔了出来，叼着一个东西放在顾绿章身前。

她听到很轻松的"嗒"一声，抬起头来，面前放着一盒泡面，再抬起头，莫明紫满脸讨好地坐在她面前，尾巴在身后扫来扫去。她心里想笑，脸上却笑不出来，和莫明紫对视了好一会儿，只是轻轻叹了口气，语调很无力。

绿章……

只是落了眼泪。

叹息像一片叶子轻轻落在水面上的影子。

莫明紫的脸凑过来，用脸颊蹭去她脸上的泪痕，仿佛很暧昧，却是世上最干净的感情……明紫他，只是饿了吧……小桑说马腹天生就是要吃人的……她慢慢抬起手，轻轻摸了摸他颈后茸茸的毛，没有力气说什么，闭上了眼睛。她不是不怨恨，不是不恐惧，而是……心里的怨恨和恐惧都似因为极度无力而被摔碎满地，要强烈地憎恨什么……需要太多太强大的力量，她没有那份力量……

"马腹吃人，和駁一样，吃下去的只是精魄，不吃身体。"唐草薇的声音在这个时候传来，竟然比平时还冷静平淡，"顾家绣房两个人没有精魄的身体到哪里去了，顾小姐难道你不想知道吗？"

顾绿章浑身一震，猛然抬头，"什么？"

唐草薇眼睫微垂，"人的精魄在马腹体内可以存在一年，身体也可以存活一年。如果你能在一年之内取出精魄、引回身体，那么那两个人不会死。"

"那么我……那么我要怎么做才能把爸爸妈妈的精魄拿回来？"

"杀死马腹。"唐草薇闭起眼睛。

她的身体一软，"没有……别的办法？"

"没有。"唐草薇从木桌边站起来，一步一步走到楼上去，不回头。

也就是说，如果她杀了莫明紫，不管爸爸妈妈的身体到底在哪里……他们都会回来？她目不转睛地看着四足着地、一脸怔忡的莫明紫，他这个时候看来真的不像"人"，要杀死一头猛兽……杀死一头猛兽不是不可原谅的事，可是……可是……

可是他一点也没有领会到她此刻从心底涌上的恶意，用前掌拨了拨那泡面，往她推近了一点。

他仍然在献宝，在讨好她。

那是会说话的快活的天真的单纯的眼睛……她抚摸着他后颈的手指慢慢地用力，明紫的颈骨并不粗壮，在斑斓的皮毛下显得很纤细，而且他抬起头享受她的推拿，微闭着眼睛似乎很舒服。

她觉得……她觉得她只要一用力就可以掐死他……或者是幻觉、或者是幻想、或者是……一种因为不可实现所以漫天飞驰的狂妄的心潮，杀死明紫？杀死明紫？杀死明紫？要怎么杀呢？用毒药？用刀子？放火？还是请人帮忙？

"绿章……"

或者是她静默得太久了，莫明紫轻轻地叫了她一声。

她的手指终于一点一点地往下掐，双手合力，掐住这吃人猛兽的脖子。她听到明紫叫她了，他是人，不是人不会说话……可是……可是……到最后你吃了我吧……否则我就……

　　我就杀了你。

　　杀人呢……

　　莫明紫很温顺，被她掐住脖子的时候没有反抗，只是怔怔地看着她，那迷茫又多了许多。她手指与手指相触了，证明掐得很深，莫明紫低低嚎叫了一声，开始甩头。

　　"嗷呜——"她突然"啪"一声被像破布般甩开了，随即沉重的虎掌压在她的双肩上，明紫咬住了她的脖子，她颈边一阵剧痛。然后他抬起了头，越发困惑地看着她，慢慢退开，松开了压在她肩上的虎掌。

　　猛兽……在遇到危险的时候都是会本能地自卫的。

　　绿章仰面躺在地上，被猛摔出去那一下摔得她全身疼痛、头晕目眩，但是很快意……

　　被杀死就是这样的感觉吧……

　　为什么明紫不吃了她呢？明明他有很多机会的……明明就有，随时都有……

　　她急促地呼吸了一下，微笑了，心里却好想哭……因为他是个好孩子、因为他是个不会伤害朋友的好孩子，所以一

只马腹才会为了她拦住九尾狐的去路，本来它们应该是一伙的……不是吗？

明紫，你没有吃我，我该怎么杀你呢？

她抬起手臂遮住眼睛，国雪，你说我该怎么办？怎么办呢……

为什么会有这种事？为什么会认识这些人？

为什么一切不能从你车祸的那天早上重新开始？

我觉得……我觉得一切都错了，真的什么都错了，一定是苍天弄错了什么，你怎么可以死？爸爸妈妈怎么可以失踪？明紫怎么可以是怪物？小薇他怎么可以还在那里喝茶？凤宸他怎么可以还在洗碗？世界上怎么可以有九尾狐？怎么可以……

我有这么多证明苍天有错的理由，一切能不能重新开始？

所有所有的一切都不合逻辑！

全部都错了！

明紫怎么可能——怎么可以——吃人？那怎么可能？

莫明紫舔着自己因为搏斗而紊乱的毛发，她怔怔地看着他的动作，眼泪缓缓滑落下来。

就算所有的一切都错了……

她这个已经走入错误轨道的人生，也是不能再挽回的……

　　明紫吃了爸爸妈妈，我……

　　我——

　　我要怎么恨他？怎么杀他？

　　细细的啜泣声从她手臂下传来，她脸上挂着微笑，但是在哭，在细细地、很无力地哭。

　　莫明紫坐在她身边，陡然眼瞳一黑，泛出了浓烈的野性和邪气，他饿了。

　　"明紫，上来。"

　　唐草薇没有感情的语调恰巧响了起来，"盒子面。"

　　莫明紫一抬头往楼上奔去，唐草薇眼睛微闭睫毛低垂，右手托着一碗盒面，正热气腾腾地冒着烟。

　　"呵呵，"厨房里传来李凤宸的笑，他似乎完全没有被刚才顾绿章和莫明紫之间的恩怨所震动，"热水放得太少，时间不到三分钟。"

　　"那又怎么样？"唐草薇闭着眼，雍容冷静地回答，"盒面本来就是垃圾食品。"

　　"还是一样不擅长速食料理啊。"李凤宸从厨房里走来，弯下腰对着以手臂遮住眼睛细细啜泣的顾绿章微笑，"要不要天堂海底奇幻圣境精灵之花舞茶？"

　　凤宸的声音听起来依然温暖而充满宽容，她慢慢移开手

臂，吸了吸鼻子，露出一个惨淡的微笑，"那是什么？"

"蜜水。"李凤宸把一杯没有拌开的冰蜜水放在她手心里，触手冰凉醒脑，"养颜美容。"

"呵呵……"她想哭又想笑，坐了起来，呆呆地看着异味古董咖啡馆的一切，刚才那半个小时让她像过了一辈子、脱了一层皮那么疲惫颓废。

"心情好一点吗？"

她双手合十握着冰蜜水，点了点头。

八 我想问小桑

晚上顾绿章从异味馆回来，凤宸说她家是《山海经》描述的怪兽诞生的地方，她随时都会遭到怪兽袭击，要她注意。但是注意又能怎么样呢？要是遇到九尾狐那样的东西，她除了俯首被吃，还能怎么样呢？

明紫想要跟着她，不过被小薇锁在房里，不许他再出来。

凤宸站在门口微笑送行，他是小薇的雇员，小薇没有让他出来他也不能出来。

只有她自己一个人。

要救父母，就要杀明紫。

杀明紫……她只想被明紫杀死……杀明紫……怎么能杀明紫……滑天下之大稽，那怎么可能……

走到小桑家巷子的门口，侧头看去里面一片黑暗，连小桑院子里都没有灯。她却知道他在，等她想清楚他在的时候，人已经不知不觉走到巷子的中途，左右两边都是空屋，她却不怕，从来没有像今天这样渴望看见小桑，感觉到他在

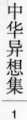

里面，她直接奔了进去。

院子的门照旧没关。

她一推门就奔了进去，"小桑……"话到这里顿时哽住，她浑身僵直站在门口，连推门的手指都不及离开便已石化——

桑菟之在院子里。

他刚刚洗完澡，睡衣搭在肩上，正和一个陌生男子并肩搂在一起。

"你……你……"她张口结舌，浑身发冷，"我……我……"

桑菟之猛地看见她推门进来，也是吓了一跳，转身面对她的时候神情依然残留着风情的余韵，"绿章……"

"对不起。"她急促地呼吸着，以比推门还快的速度扣上了门，以比进来还快的速度奔过这条窄小黑暗的小巷，跑出巷口，外面的路途一片漆黑，她不敢回家不知道能去哪里……一路往前跑，一路往前跑一路往前跑一路往前跑……

能跑到哪里去呢？

国雪、国雪、国雪国雪国雪……

我能跑到哪里去呢？

我知道总想要别人拯救很软弱，我知道深夜冲进别人房门很可耻，可是你走了爸妈也走了，除了小桑我不知道谁能救我……可是他……可是他……

他却为什么要救我呢？

只是我以为他能救我，他却为什么要救我呢？

我真……可笑是不是？

❋　　　❋　　　❋

"绿章……"桑菟之猛地看到顾绿章冲了进来，又看见她奔了出去，本能地踏上一步要把她叫回来。身后的男人一用力，把他拉了回来，"小桑，你干什么？不是你叫我过来陪你的吗？"

桑菟之顿了一下，回过头眼睛在笑，"今天晚上就算了吧。"

"小桑！难得你打电话给我……"

"呵呵，你又不是我什么人……"桑菟之哧哧地笑。

"你不是说今天晚上不想一个人过吗？肯定发生了什么事，你不想一个人过肯定心情很……"

桑菟之只是对着他笑，进去换了一身外衣，拍了拍他的肩，"以后好好找个女朋友。"

"小桑你什么意思？喂！"

桑菟之绑好球鞋的鞋带，"其实我不太喜欢总是被当做女人，你该去找个真正的女人。"说着他背对着那男人，"我出去了，门没锁，想什么时候走都行。"

"小桑！其实我很想安慰你的，是你自己不给我机会！

喂！那个女人是干什么的？很重要吗？喂……"

绿章奔进来的样子很迷乱，他大概已经猜到发生什么事了。

可以不理她的，因为今天他的心情很不好。

从一个普通人，变成一只駮，任何人心情都不会平静的，他也是普通人，当然不例外。头上的角经过一段时间渐渐潜伏了下来，他靠在院子的墙上想了半天才打电话叫人过来陪他。

不过比起屋里那个男人，绿章对他……比较好。

她可能是这一辈子第一次求救吧？所以才会连求救都没说出口，就转身跑了。

真是矜持的女生，一点都不懂得……如何依靠柔弱生存。

夜色深沉。

浓得像墨。

在风雨巷这样的老巷子里，伸手不见五指。

她会去哪里呢？

桑莵之或者比顾绿章自己还清楚——她会去哪里呢？

除了国雪的墓，她还能去哪里呢？

❋ ❋ ❋

顾绿章跑出风雨巷，在中华北街上一个人走着。

周围的街灯和车灯明亮得刺眼，彼此相依相伴的情侣、父女、母女言笑晏晏，那么幸福美满，商店里放着快乐的歌："我爱你，爱着你，就像老鼠爱大米……"

只有她像一只落汤鸡，从头到脚乱七八糟，不知道要走到哪里去。

一辆的士在她身边停了下来，以为她双眼无神地望着马路是在找车，"去哪里？"

她打开车门上了车，"钟商山。"

除了那里，她能去哪里？

的士在漫漫的黑夜里疾驰，窗户外掠过种种建筑和各种各样的人，那些人看起来都一样也都不一样，看着窗外，望着望着，渐渐地除了外面街灯映在车窗上的流影，什么也看不见了。

只有无穷无尽的黑。

还有的士发动机的声音，车轮轧过公路的声音。

钟商山离市区有几十公里的路程，要开很久。

的士司机开了广播。

"末班车回家，雨一直下，整夜忍的泪，它不听话。我不想去擦，就这样吧，爱让这女孩，一夜长大，一夜长大。想要说的话，竟然忘了啊我总是很想说，不懂得表达……"

广播电台在唱。

她没有哭。

"……那几乎成真我——们——的——家，你再也不想吗？那这些年的专心无猜，当朋友都不好吗？……"

她突然有些想笑，闭起了眼睛。国雪啊……那些几乎成真的，我们对未来的计划和曾经为之付出的努力，你再也不会想啦；这些年的专心无猜，当朋友都不能啦……我多想不在雨中想起这些啊，只是……

只是……

今夜我真的好想好想你在我身边。

※　　　　　　※　　　　　　※

到了钟商山，看到的士上的价钱，她愣了一下，才知道这一路过来车费竟然是两百多元钱。翻出钱包，她全身上下只有一百三十七元，正在尴尬，突然道路上又来了一辆的士。

已经是晚上九点半了，谁还搭车来这种地方？她被车灯照得花了下眼，再睁开的时候看见桑菀之打开车门从里面跳了下来，双手插在兜里对着她笑。

车灯映照下，他戴着黄白细格子的帽子，白衬衫牛仔裤，领子翻得很有技巧，整齐而不死板，有一丝丝妩媚。脸颊肤质白皙，他微微笑着，嘴角上挑，那风情被车灯照得雪白，很美……

像个天使……

她怔怔地站在那里，第一次觉得……原来小桑很美，难怪他总是自负容貌，总是很小心地修饰，还有……总觉得他自己应该被保护……

不想勇敢的小桑、只想被保护的小桑，却在这里下车。

"喂，是你朋友来了？"身后的的士司机在喊，"叫他帮你付钱啊。"

她转头看那个的士司机，桑菟之跑了过去，付了车钱。

两辆的士掉头走了。

她往钟商山这么一跑，花掉了四五百块钱……突然觉得有点犯罪感……深夜了，却和小桑两个人在这荒凉的山脚下，回不去了……

"听说——出门不带钱？"桑菟之站在她面前，她慢慢地抬头，原来他虽然不是很高，但是比她高……虽然他没有国雪高，但是足够了……她已经很久很久，没有这样仰头，像望着支柱一样，望着一个人……"对不起……"她轻声说，"跑到你家里去，我……走错门了。"

"唉，你说谎的技术没有我好。"桑菟之只是笑，像摇落了一地樱花，花瓣满地地飘。

"嗯……"她跟着笑笑，心情慢慢地变好，沉重的感觉变轻了，好像看着小桑，那么多复杂紊乱的故事都能暂时抛到一边，只因为他"唉"了那一声。

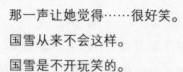

那一声让她觉得……很好笑。

国雪从来不会这样。

国雪是不开玩笑的。

"走吧，你不是想见国雪吗？"桑菟之转身往山里走，山里一片黑，没有路灯，黑得或者只有鬼火，和老鼠的眼睛。

"小桑你——不怕吗？"她轻轻地跟在他身后，记忆中，小桑不曾这么潇洒地走在前面，他常常只是潇洒地站在原地，看别人往前走，他在旁边笑。

"怕。"桑菟之回头笑，"很可怕耶，这么黑漆漆的一片，连个灯都没有。不过如果有灯可能更可怕，唉，我听别人说这种气氛最好说鬼故事……"他一边说一边往前走，突然撞到一棵树，"哎呀……"他一个矮身、很灵敏地从树枝下闪了过去，"哇哈！晚上不能说鬼的，一说就遇见……"

她跟在他后面跑，不知不觉，嘴角微微扬了起来。

"小桑……"

"嗯？"

"刚才……"

"什么？"

"没什么？"

"刚才我屋里的男人？我男朋友。"

"和你不配。"她说。

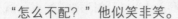

"怎么不配？"他似笑非笑。

"他不纯洁。"

"我也不纯洁。"他的眼睛在笑。

她摇头，不说话。他在前面顶风走，摸索道路，她在后面轻轻慢慢地走。

到了鹤园，门没有开，有谁会大半夜来墓园？

"怎么办？"桑菟之看着大门紧闭的鹤园，耸了耸肩。

"没……"她轻轻摇了摇头，背靠着鹤园的围墙，望着天，"我只是……不知道要到哪里去……小桑，你知道明紫他……明紫他……"

"是马腹？"他在笑。

"果然……你知道。"她幽幽地说，"果然，全世界都知道，只有我一个人不知道。"

他不置可否，"你说明紫是个好孩子。"

"到现在，即使小薇说明紫吃了我爸爸妈妈，可是明紫还是个好孩子……"她微闭上眼睛，"小薇说不杀死明紫我爸爸妈妈就不会回来……我……怎么能杀呢？明紫昨天救了我……两次……"她微微侧头靠着墙，"我该怎么办？"

桑菟之跟她一样靠在围墙上，头侧向她那个方向，指了指围墙里面，"翻墙吧。"

"翻墙？"她怔了一下。

"我不知道该怎么办，但是国雪肯定知道。"桑菟之跳

起来一下攀住墙头，坐到墙头上，"像他那样的人，我很羡慕，你去问他。"

"小桑觉得，国雪是什么样的人？"

"很厉害的人。"

"国雪是个很简单的人。"她淡淡地笑，"他不像你和小薇，只是看到了目标，就努力往前走。他……不会骗我，我也不用努力去猜，他到底在想些什么。"

"我很复杂？"桑菟之歪头笑。

"你比我复杂。"她抬头看着他，"不是吗？"

"你知道吗？其实你在我看来，也很复杂。"桑菟之撑住墙头对着她笑笑，"你在想什么，我也不知道。"

"我不说话的时候，是因为我想不清楚。"她说，"有很多事，我不知道我的想法对不对，对人的看法、对事的看法，也许很多都很主观，说出来的话也许会伤害别人。只不过因为那样，所以总是很想说些什么，到最后多数都没有说。"摇了摇头，她慢慢地说，"我很简单，就像你看到的一样。"

"懦弱喽，也可以说是善良。翻墙进来，把手给我。"桑菟之伸出手来。

"爬上去？"她伸手抓住桑菟之的手，"被我拉下来怎么办？你体重多少？"

"五十五公斤。"他拉住她的手，用力往上提，"一米七二。"

"太瘦了，比我还瘦。"她被他用力提上来的时候才发觉桑菟之的力气大得出乎她的意料，"我一米六一，四十八公斤。"

"按道理不会被你拉下去。"他在墙头上笑，"起来。"

她上了墙头，跟着桑菟之跳了下去，放眼望去，没有她意料中的遍地荒坟，因为什么都看不见，眼前一片漆黑。

城市云浓，连星光都没有。

"走吧。"

"唉？你知道国雪在哪里？你看得见？"

"我知道。"他在笑。

随着桑菟之在坟墓间跌跌撞撞地走，慢慢绕过了很多路，到了一个普通的墓圈前面。

他打开手机，屏幕的光映着墓碑上的字。

真的是国雪的墓。

她坐在墓边，拥抱着那冰凉的墓碑久久没有放手，空气里初夏的寒意隐隐袭来，草木荒芜的气息，没有半点国雪的味道，更没有国雪的体温。

"他告诉你应该怎么样了吗？"桑菟之坐在她对面，托着腮笑。

她笑了笑，"国雪说……未来，始终都在那里。"她张

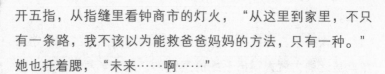

开五指，从指缝里看钟商市的灯火，"从这里到家里，不只有一条路，我不该以为能救爸爸妈妈的方法，只有一种。"她也托着腮，"未来……啊……"

她呵的气，温暖地呵到他面前，那尾音像雾散去，"国雪曾经想要出国读书，回来在市里搭一座穿越唐川的桥。"她从地上摸索出一根草茎，搭在桑菟之和她的手指之间，"因为市平小学在这边，市平区在那边，所以市平区的孩子上学很麻烦，要绕河。国雪有一天和我在唐川边散步，看到孩子们赶着上学绕着河在跑，他说要盖一座穿越唐川的桥。我想……不管发生什么事，人都是要有未来的，如果一切都能过去的话，我想考研究生，然后出国去读书。"

"很美的梦。"桑菟之托腮听着，不置可否地耸了耸肩。

"不是梦，是未来。"

"绿章，你做梦的样子，很美。"桑菟之笑笑，坐在她对面，目不转睛地看着她。

"我不是在做梦，我在规划未来。"

"我已经很久很久没有做过梦了。"

"我不是在做梦，这些又不是很难的事情。"

他以手背抵着嘴笑，"如果我在两年之内没有男朋友，我就去英国。"

"这就是你的规划？"她折断了那根草茎，"你不能不找男朋友吗？"

　　"不能。"他在笑。

　　"你就不能……找个女朋友？"她凝视着他的眼睛。

　　"你说是男人可靠呢，还是女人可靠？"他又在笑。

　　"可靠不可靠，和男人女人有什么关系？"她轻轻叹了口气，"不过……小桑你……不喜欢被人依赖，是不是？"

　　"嗯？"他不置可否。

　　"对不起。"她低声说，心情变得有些黯淡。

　　"没关系。"

　　"小桑你能不能唱歌给我听？"

　　"当然可以。"

　　"多雨的冬季总算过去，天空微露淡蓝的晴，我在早晨清新的阳光里，看着当时写的日记。原来爱曾给我美丽心情，像一面深邃的风景，那深爱过他却受伤的心，丰富了人生的记忆……"他扬着声唱，嗓音很清亮。

　　虽然她觉得这是小桑唱给她听的歌，不是他想唱的，但是依然那么深情、那么深情。

　　不是很注重感情的人，不会在意寻觅不到一份自己想要的爱。

　　歌唱了几首，最后她也跟着唱了《老鼠爱大米》，终于笑了出来。

　　"小桑，你说换了是你，你是杀明紫救爸爸妈妈，还是

不杀明紫，眼看着爸爸妈妈死？"天快亮的时候，她问桑菟之。

"我遇到这种问题会找个男人去哭去的。"桑菟之"扑哧"一声笑了出来，"你比我勇敢。"

"我相信，一定会有别的办法，我要先把爸爸妈妈的身体找回来。"她站了起来，"天快亮了，小桑谢谢你，整个晚上都在陪我，昨天也都在陪我。"

"没事。"他说，"下次我要你陪我的时候，不许说不来。"

她深深吸了口气，"当然。"

❋　　　　❋　　　　❋

异味古董咖啡馆。

"为什么告诉她明紫是吃掉她父母的马腹？"李凤宸正在帮唐草薇收拾餐具，有些惊讶。

"什么为什么？事实就是那样。"唐草薇人在楼上，转过身微闭眼往房间走。

"那个……房间门锁着……呀……"李凤宸还没说完，二楼传来"砰"的一声，他摇了摇头，轻轻叹了口气，"永远不记得钥匙在他口袋里吗？唉。"

"被马腹吃掉的人一年之内还有复活的机会，但是顾家

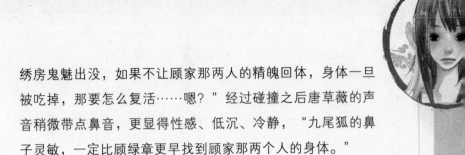

绣房鬼魅出没，如果不让顾家那两人的精魄回体，身体一旦被吃掉，那要怎么复活……嗯？"经过碰撞之后唐草薇的声音稍微带点鼻音，更显得性感、低沉、冷静，"九尾狐的鼻子灵敏，一定比顾绿章更早找到顾家那两个人的身体。"

"实际上明明在替人设想，态度和表情还是那么差劲啊。"李凤宸微笑，"不让明紫出去，除了不让他吃人，还想干什么？"

静默了一会儿，"没什么。"

"需要我准备什么吗？"

"准备一个手术台，还有一台医疗车。"

"干什么？"

"做手术。"

"OK！"

"草薇，除了这些，你有没有忘记你还有什么事没做？"

"什么？"唐草薇的声音冷漠妖异。

"浴室的热水已经放好，泡泡也打好了，再不去水就凉了。"李凤宸抱起餐巾和桌布，往洗衣机那边走去，突然回过头来，"对了，浴室的地板很滑，我刚刚拖过……"

只听浴室那边发出"咚"的一声，过了好一会儿才响起水声。

"唉呀呀，连门也忘记关呢……"李凤宸一边往里走一边摇头。

　　这一夜，在钟商大学。

　　"沈方，能不能……晚上九点到教室等我？"电话里有个女孩低声说。

　　"可以啊当然可以，只不过你是哪位？"沈方坐在宿舍一边吃梨子，一边接电话。

　　"你来了就知道。"

　　"哦。"他挂了电话，继续啃梨子。

　　"谁啊？"舍友抬起眼皮。

　　"不知道，是个女生。"沈方从放着电话的那张床上爬下来，爬上自己的床穿衣服，"可能有事找我帮忙。"

　　"我看是有事找你告白吧？不要又随便说什么'下次一起吃饭啊'，然后请了一大堆女生一起吃饭，受不了你。"

　　"没办法啊，她们都问下次能不能一起吃饭，"沈方满嘴都是东西，含糊地说，"我想一个一个请客太麻烦，当然是一起请，谁知道她们要生气啊？"

　　"受不了你，白痴，快出去啦，碍眼。"舍友眼皮都不抬一下，一脚把沈方踹了出去。

　　这一夜没有月亮，校园里路灯却很明亮。

158

在教学楼楼下站着一个抱着书本，长发飘散，很知性的女生，"沈方。"

沈方摸了摸头，"同学你好。"他不认识这个女生，不过她的样子有点眼熟。

她递过来一个本子。

"啊，是老师布置的任务吗？"沈方接过来看。

"是我的日记，送给你。"女生抱着课本，转身顺着楼道走了。

"啊？喂！那个……你叫什么名字啊……"沈方左边看一眼日记本，右边看一眼走掉的女生，目瞪口呆，这还是他第一次遇到这种事，要怎么办才对？拿出手机快速拨打顾绿章的手机，她也是这种类型的女生，应该知道怎么办。

"……该手机暂时无法接通。"

这种时候，为什么会无法接通？他奇怪地打了她家里的电话，想了想又打了桑菀之的手机。

都没有人接。

发生了什么事？

他低头在路灯灯光下翻开日记本，第一页映入眼帘的是"某年某月某日，晴。开学新生会上，他很耀眼……"

手里捧着一个女生纯洁的初恋。

沈方只拿着手机在深夜里拼命找人咨询，拨打了一个又一个电话，顾绿章不在服务范围内，桑菀之也是，顾家的电

话没人接，异味馆里也没有人接听。

仿佛这个夜里，他所认识的人都突然失踪了。

胸口堵着一种不好的感觉，有点烦躁，他低头看着手机，呆呆地看着，也不知道看的是什么，末了终于收了起来，摸了摸鼻子，回宿舍去了。

突然之间，觉得挺无聊，走到宿舍门口的时候，才抓抓头皮，这种心情……也许就叫做寂寞吧？

没有别人需要他安慰帮助的时候，他真的是挺寂寞的。

心里泛着一种异样的情绪，心跳加速，但不是因为被人告白的原因。

他常常遇到被人告白的机会，但今天晚上……好像……有哪里和平时不一样。

心跳的时候，像有热气从心里呵出来，感觉非常、非常奇怪。

九　复活和死

异味古董咖啡馆。

"我已经很多年没有看到你做手术了，都忘了你是个医生。"李凤宸慢慢地把手术床和手术车推进了莫明紫的房间。

"从来没对老虎动过手术，更没给马腹动过手术，很可能——会死的。"唐草薇双手戴上手套，持起了手术刀。

莫明紫被他麻醉了，肚皮仰天躺在床上。

"根据书上的图，虎的胃在这里。"李凤宸调整好无影灯的角度，推过来医用剪刀和夹子。

"不用你啰嗦，我知道。"唐草薇淡淡地说，手中的剪刀把覆在老虎肚皮上的薄膜剪出一块方正的缺口，手术刀一划，利落地割开了虎皮。

"你怎么知道，马腹吃下去的精魄一定在胃里。"李凤宸微笑。

"我不知道。"唐草薇的声音，"所以才要打开来看看。"

"那么肠呢？"

"打开来看看。"

"咦？肝呢？"

"打开来看看。"

李凤宸微笑以对，看来这样下去，幸好动手的人是草薇，否则莫明紫怎能不死呢？

那条通向两全其美的路，究竟在不在？在哪里呢？

唐草薇的手术刀能找到那条路吗？

手术进行中，莫明紫身上的无色的血慢慢地流着。

"啊。"唐草薇打开了胃和肠子以后，轻轻嘘了口气，"马腹失血太多，应该用什么血输液？"

李凤宸的微笑一顿，"嗯？"

唐草薇挂上一条输液的细管，一头的针头没有扎进输液瓶，而是扎进了自己的手腕。

鲜红色的液体顺着透明的细管上升，最终输入莫明紫的体内。

"很怀念……"李凤宸把透明的塑料细管挂上点滴架，"草薇的血，很凉。"

"啰嗦。"唐草薇睫毛微垂，把莫明紫身上各种器官轮流打开又快速缝合，四处寻觅了一遍，却并没有发现什么奇怪的东西。两个小时之内缝合了所有的切口，"胃里都是垃圾，马腹吃下精魄以外的东西都不能消化，再没有食物，很快就会死的。"

即使吃了很多人，这样也是很快就会死的吧？李凤宸看着唐草薇的手术刀和镊子在莫明紫肚子里划来划去，含笑微微摇了摇头，完全不会体贴别人的人啊……

唐草薇的血一点一滴地流入莫明紫体内，明紫原本惨白的脸色渐渐变得白里透红，随着最后一针缝好，马腹的血也渐渐止了。他缝合伤口的技术很好，手指的动作精细灵巧，血输了那么多，脸色依旧光洁白皙，没有一点变化。

"找不到精魄的位置？"李凤宸的眼神依旧宽厚含笑，没有失望或者遗憾。

"找不到。"唐草薇把手里的手术刀放到铁盘里，"送他到隔壁房间。"

"要先拔掉自己的针头。"李凤宸叹了一声，"走路前要先整理好周围的东西。"

"哦。"唐草薇拔掉手腕上的针头，"这里洗干净。"

"是。草薇，该做早饭了。"李凤宸微笑。

❀　　　　❀　　　　❀

天亮了。

顾绿章和桑菀之从钟商山鹤园往市区走，走到半路终于拦到一辆的士，乘车回家。

她说她不想回家，所以回了小桑那里。

桑菀之的院子里还是一片狼藉，那个男人还在，坐在桑菀之的钢琴前弹琴。

原来他也会弹钢琴，也会唱歌。

也许已经弹了一夜吧？不过看见桑菀之和顾绿章一起回来，他合上琴盖，站起来就走了。

"再见。"桑菀之倚在门上笑。

"再见。"

"浴室里面很乱，但是有水。"桑菀之说，"有梳子，有护肤品。"

"我去洗脸。"她进了浴室。

浴室里真的乱得不成样子，顾绿章顺手收拾了一下，她出来的时候，桑菀之伏在钢琴上睡着了。

他打开了琴盖，但是没有弹琴。

他已经两天没有睡觉了。

她清洗好自己的一切，整理好衣服出来的时候，院子里寂静如黎明，今天阳光不够明朗，但天色很亮，有种天堂般清白的光辉。不知不觉走到桑菀之身边，手指轻轻触了那洁白的琴键，不敢用力往下按，怕吵醒他。

看着他伏在琴键上的背，小桑很纤细，像个女孩子。

轻轻叹了口气，她想起一首歌，有一首歌，或者专门是为了他而写的。半弯腰看着他柔软的发丝和肤质姣好的颈项，听着他均匀的呼吸，她极轻极轻地低唱："穷途末路之时，我急需的是你声音；每当天色昏沉，你就像太阳为我暖身。对于朋友，你的细心，已足够花去半数时间；尚有精神娱乐大家，从没离群。情路段段不幸，你用办法没有上心，惯于利用经验叫身边的人勇敢……感激你最开心的人，陪伴着我每个无眠夜深，用你笑声，修补我不幸，过滤失落重获信心……"（摘自林一峰《给最开心的人》）

她不知道小桑是变得更坚强一点好，还是更脆弱一点好，望着他纤细的背影，突然之间也觉得，像他、像他……真的需要一个人保护。

他像朵需要精心呵护照顾的花，因为他自己对别人，也是那么精心呵护照顾的。

小桑，我觉得我对你，远远没有能够做到你对我那么体贴，想问我……算不算伤害了你？因为我不可能……做到你的耐心和付出，这样算不算伤害了你？即使我知道你本来什么也没有要求，可是我觉得……我伤害了你。

如果从不曾遇见国雪，我能全心全意地呵护你吗？

我不知道……

人生、真的是很奇妙的。

"当当当当——"大笨钟的声音响起，她的手机响了。

"喂？"

"绿章啊？找到你爸爸妈妈了，快到学校来！"

是沈方的声音，她整个人懵了，脱口而出，"什么？"

"你爸爸妈妈在学校地下室啊，现在被警察带走了，说要做解剖……"

"等一下，我爸妈还没死吧？做什么解剖？"她双手紧握着电话，"未经家属同意怎么能做解剖，怎么会有这种事？"

"我什么也不知道，我听说你爸妈被发现的时候呼吸和心跳都没了，像刚死一样。警察说要调查死因，带回去申请解剖了。"沈方在电话那边也吼得惊天动地，"快来！我现在骑车跟在警车后面看他们到底把你爸妈带到哪里去了。"

"我马上来，你在哪里？"

"我在环城路，环城……咦？这里是哪里？环城南……环城北……"

"你看到什么标志性建筑？"她心跳得要从胸膛破胸而出了。

"我看到麦当劳……啊，环城中路！"

"等我。"她关了手机冲出去两步，顿了顿、从地上拾起一件衣服搭在桑菀之背上，推开门奔了出去。

她不是去环城路，而是先去异味馆。

不管警察想要把她爸妈怎么样，就算不解剖，至少也会冰冻，那样……还能复活吗？要在警察处理"尸体"之前让爸妈活过来——除此而外——再也没有别的办法——

"小薇！小薇开门啊！"她一路狂奔到异味古董咖啡馆门口，这时候异味馆还没有开门，她扑在窗口捶玻璃，明紫在里面，只有明紫才能救爸妈！要怎么办？有什么两全其美的办法？她到底要怎么办？

　　哪里有时间思考两全其美的办法呢？

　　她不知道爸妈现在到底被怎么样了啊——

　　天啊——

　　声声捶门捶窗的时候，再没有比这时更感受到自己是最自私的了，灾难没有迫在眉睫，谁都不愿把自己想得那么卑劣……以至于事到临头……自己都接受不了自己的残忍……

　　那是她的爸爸妈妈啊……

　　他们不能死啊……

　　"小薇——明紫——"

　　"啪啦"一声，一块彩色玻璃碎了，她的拳头离开那玻璃，玻璃碎屑带着血丝；再一拳砸下去，那窗户的玻璃全碎了。

　　异味馆的门终于开了，她仿佛等了一个世纪，毫不留恋地抛下窗口的碎玻璃，她转身踏上了登门的台阶，"小薇，明紫呢？"

　　开门的是李凤宸，"明紫在休息，发生了什么事？"

　　"把我爸妈的精魄还给他们，我求他了！"她一把抓住李凤宸的双手，忘情地说，"爸妈被找到了，可是警察把他

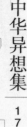

们当做尸体，求你让明紫放了我爸爸妈妈，他吃了我没关系……求他放了我爸爸妈妈……女儿可以再生，爸爸妈妈绝对不能没有……"

"明紫他……"李凤宸刚指了指楼上，二楼传来唐草薇平板而充满底气的声音，"要他还精魄？很简单，你杀了他。"

她呆了一下，"杀……明紫……"

"你杀了他，就能救你的爸妈。"唐草薇的房门"咿呀"一声缓缓地开了，人却没有出来，声音响自房里，也许因为房间有了共鸣，那声音越发森然。"没有其他的路。"

"他可以吃了我，马腹一定要吃人对不对？他可以先吃了我，再还我的爸爸妈妈。"她怆然说，"我杀不了他……"

"忘记告诉你，失去精魄的身体是很容易彻底死的，只要遭到任何破坏，就永远无法复活。"唐草薇的声音没有一点激动的感觉，尾音妖异如兽齿微微上挑，是一种藐视众生的高傲。

"救救我爸爸妈妈。"她双手紧握，"小薇我知道……这件事一定要求你——一定要求你——除了你谁也不可能做到，除了你谁也不可能把幻想变成现实……我怎么样都可以，救我的爸爸妈妈——"

"救？你是在求我杀莫明紫吗？"唐草薇在说这句话的

时候语调依然没有起伏。

"我……"她说，"我……"

"绿章？"二楼的第三个房间门开了，莫明紫仍然是个十五六岁孩子的模样，穿着唐草薇长长的睡袍，探了个头出来看她。

他连探了个头出来都那么认真，看得那么专注，没有半点开玩笑的意思，迷糊得全神贯注。

看着明紫，要杀明紫这种话怎么能说得出口？她热泪盈眶，"我……"

"……顾家绣房夫妻两人今天早晨八点在钟商大学地质系地下室里被发现，两人都已被确认死亡，关于具体的死亡原因，法医已正在调查……"李凤宸开了电视，整点新闻正在滚动播放今天发生的大案。

她侧了一眼，电视上打着"现场直播"记号的摄像机正拍到法医把顾诗云和顾绸绸封进裹尸袋要送入冰库保存。"不要——"她的脸色"刷"的一下苍白了，送进冰库就意味着真正的死亡……

"明紫，剖腹死吧。"唐草薇低沉，像团光晕散发的平静声音从房间里传来。

顾绿章蓦然回首，望着还穿着睡衣探头出来看她的很天真的明紫。

他的眼神仍很迷惑，似乎还没有睡醒，听到唐草薇的命

令，"嗯"了一声。

"明紫——"她脱口惊呼。

绿章的眼睛睁得好大，有点不像平时的她。莫明紫听到唐草薇命令的时候毫不犹豫地伸出手指，以虎爪般的指甲在自己胸口用力划下。

一阵剧痛，有许多液体从胸口喷了出来，他茫然看着自己喷出的红色的液体……马腹的血，并不是红色的……意识开始模糊的时候他才想到……为什么……小薇要他死呢？

为什么？

为……什么……

"啪"的一声轻响，二楼莫明紫站着的地方冒起了一团白烟，随之整个房间像掉进了冰窟般寒冷了千万倍，在一片白茫茫中，她看到两点荧光从烟里出来，刹那消失在窗缝里——那就是所谓的"精魄"？"明紫——明紫你怎么样了？"她在白烟里惊恐地喊，踉跄地往台阶跑，"砰"的一声她跌倒在楼梯上，猛然抬头——白烟渐渐散去，整个房间似乎都漫过了一层淡红色的水渍，一切的一切全湿了。

在离她头顶不远的台阶上躺着肚子裂开一个大口子的、已经死去的马腹，那老虎的条纹分外鲜明美丽，连他闭起眼睛的脸都似乎温顺可爱。肚子的伤口流出了淡淡的血迹，他已经死了。

电视里发出了一阵嘈杂和喧哗的声音，刚才法医拉起裹尸袋拉链的时候，顾诗云似乎动了一下，跟着顾绲绲也动了一下，记者的相机不停地拍照，顾诗云和顾绲绲在众目睽睽之下醒了过来，相顾茫然。

"小薇你——杀了明紫……"她不知是在哭还是在笑，"你杀了明紫你杀了明紫……你要他自己死……你……你……"

"你不是求我救你爸妈吗？"唐草薇的声音有条不紊，没有半点激动，依然很冷漠，"是你求我的。"

"我——"她伏在地上，全身颤抖。

"你不是该感激我吗？"

"我——"她伏在地上，泪流满面，也泪流满地。

她该怎么为自己辩解呢？明紫虽然其实只是一头像人的野兽，可是他……可是他是善良的孩子，吃人的比被吃的还要干净纯洁，明紫怎么能就这样死了……你怎么能狠心下令要他自杀？小薇你明明知道他不能反抗你的命令，你太残忍了！太残忍了……明紫他或者连为什么要死都没有明白，你就取消了他生存的权利……死得那么快速那么简单，只在几分钟之内发生的事却永远无法挽回！

抬起头，急促喘息地看着唐草薇，小薇……她听着电视里父母的声音，爸爸妈妈都回来了，没有死，她该高兴该感激小薇，可是——可是心里只有怨恨——只有怨恨——"你怎么能——要求他自杀呢？"她终于说出了口，"小薇我感

激你，我也恨你……"

恨吗……

唐草薇没有回答。

李凤宸静静地站在一边，恨吗……

"我恨你。"她轻声说，身边莫明紫的尸体开始涣散，渐渐变成了绣着马腹的一块裙摆，她轻轻地捧起那块裙摆，笔直地往前走，慢慢地走出大厅，走下异味馆的台阶。"我恨你，更恨我自己。"

恨啊……

李凤宸看着她慢慢地走远，轻轻叹了口气，拿出拖把开始重新拖地，擦掉莫明紫留在地上的血迹。

一块砖、两块砖……从楼下到楼上。

拖到唐草薇房间的时候，他看到唐草薇平躺在柔软的床垫上，一个人陷进去大半个，仿佛睡得很舒服。

他插针头的手腕一滴一滴地流着血，染红了一块被褥。

脸色依然，并不显得虚弱，只是微微有些苍白。

草薇是受了伤很不容易好的人。

李凤宸拖完地板轻轻带上门，这个人无论有多拼命努力在做一件事，都只会用最糟糕的方式去表达……

所以，总是被人怨恨。

只不过"我恨你，更恨我自己"，这种话，就算是草薇，也很少听见吧？

顾家夫妻醒了以后，只记得当天晚上接待的最后一个客人是钟商大学地质系的钟教授。钟教授热衷于古董收藏，听说他们家有一些清朝早期的绣品，特地登门拜访，又说起他儿子开了一个拍卖公司，如果顾家夫妻能放手绣一些大手笔的精品，以顾家的声望地位一定能在拍卖会上拍出很好的价钱。

顾诗云是个极有古代书生意气的人，对这种商业炒作自然婉拒，只是拿了一些早期绣品给钟教授鉴定。顾细细去拿绣品的时候一去不回，顾诗云去找之后又是一去不回，钟教授寻到仓库才发现两人双双昏倒在仓库里。

只当是因为地下室留着什么有毒气体导致两人昏迷，钟教授一时鬼迷心窍，打电话叫来儿子把昏迷的顾家夫妻挟持到钟商大学人迹罕至的地质系教员楼，锁在地下室里，本想强逼两人刺绣。但第二天发现这两人不但不醒，似乎还好像已经死了，吓得钟教授紧锁地下室大门，绝口不敢再提"刺绣"两个字。而今天是学生要到地下室找二十几年前留的标本，偶然发现了顾家夫妻的"尸体"。

钟教授和顾家夫妻的事自有警察去调查。

顾家古宅再次充满了温馨温暖的感觉，爸爸妈妈平安无

事，顾绿章终于笑逐颜开，这几天毫无规律、噩梦一样的生活，总算是结束了。

当然，她无法忘记明紫的死。

他的死，赐予她幸福，也给了她一块最郁结的阴影，她永远都记得，她是这样一个为了自己的幸福而杀人的女人。

她也无法忘记小薇的残忍。

他隔着墙壁，用一句话杀死了明紫。

即使他是为了救她的爸爸妈妈，也不可原谅，那种当明紫的生命是草芥的人不可原谅！

无法忘记小桑的体贴和耐心，却不知该如何为他祈福、又能为他做些什么？

生活表面上恢复了平静，但实际上，什么都不一样了。

国雪，好像很久很久没有想起你了，虽然这时间只有一两天，可是我无法踏踏实实地生活，我开始害怕自己、怀疑自己，也开始憎恨别人、害怕别人。我不知道怎么回到像从前那样平静的生活，要怎么才能在紫薇树下简单微笑。

还记得吗？你曾说我的微笑很温柔，说我走路的样子很温馨，说我很温暖。

一个人会温暖，是因为她幸福。

国雪，那时候有你依赖、有你走在前面，能让我看见、能让我坚定不移地相信你走的方向是对的，能让我不迷茫、能让我坚强，所以我才幸福。

你现在在我身后很远很远，我……究竟要往哪里走，才是人生中正确的方向？

才有想象中的清晰明亮的未来？

我不想输，我不想哭。

我想要有你那种对未来的信仰，和坚信信仰而拥有的那种强大的力量，支持我像从前那样，能对人温暖微笑，并走向前方。

已经离开我一年零一个星期。

你还想离开我多久、多远？

还能离开我多久、多远？

还会离开我多久、多远？

❋　　　　❋　　　　❋

日子终于照常运转了。

顾诗云和顾绲绲又天天给女儿做饭、目送她上学，家里响起了谈论刺绣而引发的笑声。

沈方在学校里遇到了一个知性典雅的女生，似乎正处在暧昧阶段。

小桑这几天在家里复习，不久要考试了。

异味馆照常营业，虽然去的人寥寥无几。

所有人都似乎踏上了正轨，太阳依旧明亮、树木依旧青绿、天空依旧蓝，连穿透玻璃和树梢的光线都利索得条条笔直。

初夏的气息来了，五月天真好。

熏人欲醉、迷迷蒙蒙，浪漫也芬芳的季节啊……

十　爱情

爱情是什么？

爱情就像时间，你不问我的时候，我知道它是什么，你一问我，我就不知道了。

钟商大学。

"绿章啊，你有没有觉得那只鸟很奇怪？"江清媛和顾绿章近来常常走在一起，因为沈方"据说"在谈恋爱，江清媛不知怎么就是喜欢拉着顾绿章八卦。这天刚上完公选课，江清媛骑车搭着顾绿章往饭堂赶，理由是：等矜持秀气的顾小姐以碎花步散步到饭堂，人家都下班了，她看着都要急死了。

一只鸟在钟商大学上空盘旋了很久了。

"嗯……很大的一只鸟，又不像老鹰。"顾绿章坐在江清媛身后，随着她的车速摇晃，抬头看了那只鸟一眼。

"像一只鸡在天上飞，好奇怪。"江清媛一边骑车一边抬头向上张望，"哎呀！"她一下骑到路边的草地里去了，差点两个人都摔下来，幸好她及时一脚踩住地面，"那是什

么鸟啊？"

顾绿章扶住她，"有没有受伤？"

"没有没有。"江清媛一推手把自行车丢在草地上，她长得很清秀，却很豪爽率性，"我不搞清楚那是什么东西就睡不着，你等我打电话。"她拨了生物系师兄的手机，开始和那个师兄在旁边唧唧歪歪。

顾绿章凝视着在学校上空盘旋的鸟。她的眼力很好，看得很清楚，那是一只像鸡的鸟，头是白的，身上是花的，有一对很大的爪子，看那么大的爪子以为是鹰，可是它并不会翱翔，而是持续不断地扇动翅膀。

这种鸟她真没见过，不过一见就给人一种不喜欢的感觉。

突然那只鸟"嘎"地叫了一声，声音嘈杂难听，接着一个盘旋转身从高空中急速俯冲下来——随之地面一阵尖叫哗然——她骇然发现它在攻击人，紧追着一个女生不放。那女生抱头尖叫冲进了教室，那鸟一个盘旋又上了高空，钟商大学地面却已一片紊乱，人人仰头看着那只攻击人的大鸟。

"你说没有这种鸟？喂，你打开窗户看外面啊！大哥。"江清媛在电话里叫。

"嘎——"

那只鸟再次一个盘旋，笔直对着顾绿章扑了下来。

"喂！快走！"江清媛吓了一大跳，旁边的人纷纷脱下外衣驱赶那只鸟，顾绿章连连倒退，往树下躲闪。

　　但那只鸟在大家的纷纷击打下偏转闪避，竟然像蝙蝠一样做着各种角度的追飞动作，刹那之间已经扑到了顾绿章头顶！

　　"嘎——"鸟鸣刺耳，说不出的难听难受。

　　她"啪"的一声坐到地上，那只鸟低飞扑空，从她头顶掠过再次上了蓝天。

　　"绿章，没事吧？怎么会这样？"江清媛刚刚把她扶了起来，"嘎"的一声那只鸟闪电般下扑，"啊"的尖叫，江清媛肩头衣服翻裂，赫然出现了五爪的爪痕，幸好没有伤到皮肤。

　　"天啊……"顾绿章拦在江清媛身前，仓皇失措地面对那只再次疾若流星的怪鸟。

　　一声清澈的口哨声响彻校园，声音拔得很高，音调完全翱翔在校园所有的树木之上！

　　"呀——嘎——"怪鸟应声拔高掠走，眨眼间成了蓝天之中的一个黑点。

　　谁的口哨？顾绿章蓦然回首，树林那边有个男生站着，仰头看着蓝天。

　　是小桑。

　　她疑惑地看着桑苠之扶树站着，仰头看着蓝天，那动作……叫她分不出那一声口哨是他叫的，又或者仅仅是他也在看那只怪鸟究竟飞到哪里去了？

只是那仰望的姿态有些……悠远了……悠远得有些孤独，以至于让她怀疑那一声赶走怪鸟的口哨声，来自那里。

小桑……

她感觉到，在小桑身上，也有一层淡淡笼罩的神秘感，关于他的占卜、关于他提前知道明紫是马腹、关于他相信传说中那些不可想象的事。

小桑……除了精致、体贴、孤独，还有些什么？

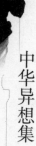

✳　　　　　✳　　　　　✳

看来，所有出没的怪兽都怕他这头駮。

桑菟之仰望着逃走的虑雀，那是一种吃人的猛禽，在他哨声下也快速飞走。低头看着自己的手掌，掌纹清晰，没有一点与众不同，但掌纹下流动的血却是如此不同，令怪兽恐惧。

莫明紫死了。

说实话他并没有觉得很奇怪，像明紫那样做不成猛兽也做不成人的马腹，成长到必须吃人的那一步的时候，就是死亡的时候吧？如果明紫还会说话，想必会说在山涧里吃鱼的日子更加快乐。

明紫他……只有猛兽的身体，没有猛兽的心，所以是活不下去的。

　　我呢？

　　駮也是一种猛兽。

　　幸好我还有八分之七是人，不需要那种本能……

　　"小桑。"顾绿章静静地站在他身后，"在想什么？"

　　他没回头，站在那里笑，"没什么。"

　　"晚上凤宸说小薇放他假，他想去一趟你家。"她温柔
地说。

　　"我不锁门。"桑菟之回头，"最近奇怪的东西好像更
多了，报纸上说昨天公园里有一只红头的狼，咬伤了小孩
子。"望了一眼天空，"今天是一只鸟。"

　　"我家里前天早上发现了一些奇怪的脚印，"她平静地
说，弯腰从地上拾起一片落叶，"牛的脚印。"

　　"红头的狼叫'獦狚'，今天的鸟叫'𩇯雀'，你家的
牛大概就是'诸怀'。"桑菟之笑笑说，"都是吃人的猛
兽，看来它们都是针对着你来……很想吃了你。"《山海经
·东山经》有云："有兽焉，其状如狼，赤首鼠目，其音如
豚，名曰獦狚，是食人。有鸟焉，其状如鸡而白首，鼠足而
虎爪，其名曰𩇯雀，亦食人。"《山海经·北山经》有云：
"有兽焉，其状如牛，而四角、人目、彘耳，其名曰诸怀，
其音如鸣雁，是食人。"

　　"如果没有在小薇那里遇到九尾狐，没有看到明紫

藤萍

死……我永远都不会相信，这些怪兽真的存在。"她轻声说，落叶自指尖轻飘飘落下，拾起，本就是为了落下。

"打算怎么办？"

"它们不会再吃我爸爸妈妈，爸爸妈妈身上有马腹的气息，只不过想吃我罢了。"她微笑，"如果有一天真的逃不掉，那就让它吃了我吧，如果一切都能平息的话。"

他的眼睛在笑，笑得有些耀眼，"如果国雪在的话，你会这样说？"

她的确是怔住了，甚至怔了很久。

小桑……

"也……许……"她蹲下身，最后坐在草地上，望着天空，"不，如果国雪还在的话，我真的不会这样说。"

"那你姑且当他还活着。"桑菟之弯腰手指触到她的发梢，她本能地微微往后一闪。

他的手指随之停住，"你头发上有花瓣……"

"啊……对不起。"她往后坐了一点。

第一次意识到，在绿章眼里，他并不是一个女孩。

他是一个男生，不管他曾经多想变成一个女孩，但他是一个男生。

她往后坐了一点。五月天的青草地上，她穿的裙子也是青色的，覆到膝盖，一双皮鞋扣上系着褐色的带子，长发垂到胸前，也微微泛着褐色光泽。缓缓抬起头来，那双温柔清澈的眼睛，眼瞳深处特别黑，周围却依然微微有些褐色，那褐色清澈透明如水晶，甚至温柔到介于深褐与隐约的墨绿之间。

他从没注意过，绿章的眼神一直如此澄澈认真，还有……

她是一个温柔秀雅的女生，有些时候……充满精致矜持的女性美。

心突然跳了一下，他的手指动了一下，慢慢往回收，树上飘落下来的花瓣还卡在她耳边，那是一朵粉色的蔷薇。

浅青色裙子，头戴粉色蔷薇的女生……不，她是绿章，那颜色并不相配，却是那么……温暖妖媚，非常柔软的那种纯稚的妖媚。

"咦——"身后有人笑了出来，"奇怪了，难道绿章现在和小桑是一对？怎么气氛这么暧昧？"

"嗯？"顾绿章抬起头，"清媛你在说什么呢，我是国雪的女朋友。"

"国雪同志已经不在了。"江清媛走过来拍了拍她的肩，"我推荐你啊，其实沈方那个傻瓜比小桑好，如果你还没有决定是谁，我绝对支持沈方！"她转过身点桑菀之的鼻子，"我们都知道小桑对女朋友是很死心的，看你女朋友走了这么久，都没有再找新的就知道你很长情，绿章你要等他变心太难了啦，还是傻瓜沈方好。"

原来……在别人眼里，他是这样的男孩。桑菀之直起背，笑了笑，"如果我是女孩，我也会选择沈方。"

"我觉得，什么都是国雪比较好。"她温柔地辩解，真心实意的。

"唉——死人至上论，人不在了，不管什么都是最好的。"江清媛叹了口气，"其实国雪在的时候，我没觉得他特别特别优秀。我不骗你，我真的没有觉得过——不过自从他死了以后我才发现，原来世界上真的有一种人你少了他不行。"她侧头看顾绿章，"是不是？"

她淡淡地笑了，要她说什么好呢？她没觉得少了国雪世界会变，只不过……是像跑步一样，你本来正那么认真、匀速、充满计划性地跑着，并相信以自己的体力和努力一定能跑到终点，突然之间，终点消失了。

就是那样……

国雪对她来说，就是如此的一个……人生的终点。

是起跑的动力、终极的目标、过程中的梦想、并肩时的支柱。

其他的……比如说甜蜜、羞涩或者误会和争吵，在他们之间的意义不大，几乎并不存在。

"……真的真的，有些人的重要性你没注意肯定感觉不到，像什么我们系比赛啊、考试啊，连什么英语考级今年都缺人才。对了不要说我们学生会组织比赛的事了，就是你们篮球队没了国雪也够麻烦的对吧？多好多可靠的后卫啊！"
江清媛和桑菟之并肩唧唧歪歪国雪的往事、国雪的重要性、
国雪的优秀，"那，所以说你们队在今年就没什么战绩，就
是这样。"

"呵呵……"桑菟之笑得风情万种，眼角都有些勾魂摄
魄的风采，"今年校队只有沈方一个人。"

"咦？你没去比赛？"江清媛指着桑菟之的鼻子大叫，
"不——会——吧——给我抓到了！你挂着队长的名字翘比
赛，天底下哪有这样的人，太过分了。"

他抿着嘴笑，也不解释，就用那双眼睛笑得艳艳的。

"小桑，真的吗？"顾绿章听到这里，讶然插嘴。

他本可以笑笑默认，不知为何却有些"真的太过分了"
的感觉，"下个月比赛我不会翘。"

"我才不相信你这个天天翘课的懒鬼！"江清媛笑了起
来，"到时候一定当场点名，否则开除你队长资格！"她发
狠比画了一个杀头的动作。

"小桑说会去就是会去啦，"顾绿章微笑了，"不去他
才懒得说，对了清媛，现在去饭堂可能……"

"死了——没——饭——了！"江清媛惨叫起来，"不
行，绿章你要请客，我快饿死了！"

"我请吧。"桑菟之笑笑，"小三排档，豆花活鱼。"

＊　　　＊　　　＊

风雨巷，小三排档。

"这里的豆花活鱼真的很好吃啊。"江清媛猛吃鱼肉。

顾绿章正在用茶水洗碗筷，突然看见一个人抱着东西在人群中走过。

背影笔直，衣服很华丽，侧面颈项的皮肤很白。

小薇……

收回眼神的时候，桑菀之看着她，"还恨他吗？"

她默然。

"小薇他……"

"什么？"

"没什么。"他终于还是没有说，静静地吃鱼。

他沉静下来的样子一点也不轻佻，像在思考什么，筷子停在碗上。

"怎么了？"

"小薇很少一个人出门。"桑菀之说，"今天凤宸放假，他应该是给客人送货去了，不知道这次又卖了什么奇怪的东西给人家。"

"咦？你们在说异味馆吗？昨天早上我听她们说异味馆卖了门口那对花瓶给学校研究生院主任，肖主任要摆在研究生院门口的。"江清媛耸耸肩，"很奇怪吗？我怎么不觉得？"

"你不觉得那对花瓶上画的仕女的样子，很像张缈吗？"桑菟之支颌，"头发散着，拿着几本书，迎着风走。"

"不会吧，你不要告诉我你以为那个花瓶上画的人变成张缈，人家有名有姓有父母的，又不是白日见鬼。"江清媛失笑，张缈就是最近和沈方常在一起的女生，"而且张缈在绿章她们班一直都是很有气质的美女，不是夜半狐狸精啦。"

"我觉得那种神态很像啊，不是说像狐狸精，而是很女人的那种。"桑菟之笑，"很认真在——追求爱情的女人的眼神。"他作为强调，挥舞了一下手。

顾绿章摇头笑了出来，"快吃鱼吧，都要凉了。"

"基本上一个女人想要得到一个男人的爱的时候，她会怎么做？"桑菟之托腮问。

"基本上女人都会分成两种，一种死缠烂打，另一种假装对他很冷漠。"江清媛说，"我，就是死缠烂打的那种；她，就是很冷漠的那种。"

"你们不会想到要把对方当做朋友，坐下来好好地谈一谈吗？"桑菟之张开手指，之后十指交叉问。

"谈什么？"顾绿章和江清媛异口同声地问。

"谈……比如说如果在一起的未来啊，我其实很适合你

之类的话题。"桑菟之耸了耸肩。

江清媛和顾绿章面面相觑，顾绿章轻轻咳嗽了一声，"基本上，我只会想到：也许我很了解你。"

"我只会想到喜欢的人是要自己追求的。"江清媛强调，"说什么未来啊，适合啊，太理智了吧？又不是在谈生意。对了！"她举起一根手指，"基本上，大家都这样说：'某某，我从很久以前就觉得你很特别……'"

桑菟之眼睛在笑，"喜欢一个人是什么感觉？"

"感觉……根据经典漫画的言传身教，"江清媛绘声绘色地说，"这个喜欢一个人的感觉嘛……就像感冒一样，会坐立不安、心神不宁、头热头痛、鼻塞咳嗽……"她没说完，顾绿章就在旁边笑得岔了气。

"那心里呢？你们女生看到喜欢的人心里是什么感觉？"他的眼神艳艳地瞟着江清媛，"总有一些奇怪的感觉吧？"

"奇怪的感觉就是——"江清媛的手指从天上指到地下从东西指到南北，最后指到顾绿章身上，"我还没谈过恋爱，叫绿章说她是怎么看中国雪的。"

"我？"她轻咳了一声，微微一笑，"怎么认定是国雪的，我早就忘了。"

"忘了？"江清媛斜眼看着她，"怎么可能？你编也得给我编一个出来嘛。喏，如果现在你面前坐的不是我，是国

雪，你又从来不认识他，会有什么感觉？他身上哪点最吸引你？"

"我想想。"她轻笑，那都是多久以前的事了，"我想……最吸引我的，是国雪的……头发。"

"头发？"江清媛正在喝茶，一口热茶全喷了出来。

"国雪的头发，很细、很直，虽然很纤细，但是不柔软。"绿章慢慢地回想着，"在阳光下常常闪着一丝一丝的光，像太阳和天空里最优秀的光线都在他的头发上面闪了。他的头发很直，不太顺下来，不像小桑你的这样听话，对着他的眼睛看的时候，因为他的头发这样张起来，我就觉得他……"她脸上浮起了淡淡的红晕，"他像永远不会错一样。"

她说的细节，他从没在桑国雪身上体会到，在爱中的女孩细细地说着他从未注意过的事，那种泛着红晕的幸福，却让他有了一种害怕的心情。

国雪太幸福了。

还有……看着绿章谈起国雪的兴奋，他自己知道自己的心跳得很快，紧张……

为什么心会跳得这么快，自己都觉得自己很紧张？

他心里浮起了即使做了两年 gay 都没有浮起的恐惧感，那是因为——

那是因为……

似乎被伤害了。

"……国雪是那种只要一从你面前走过，你不需要理由就能相信他的那种人。"顾绿章轻声说，"就算他不在了，我也相信……他想走的路是对的。"

"我呢？"桑菀之笑。

"小桑？"绿章微笑了，"小桑……让人第一眼一定会看住的，是眼睛。"她想也不想就说了出来，"第一次看到小桑的时候，我觉得小桑的眼睛……它……"她顿了一顿。

"什么？"桑菀之带着风情地笑。

"它好像在勾引人。"绿章嫣然一笑，"好像在表示能对所有人都很好，不过我觉得……虽然好像能对所有人都很好似的，但是很孤独……好像小桑心里真的想法和期待，没有办法和人沟通……"她慢慢地说："即使你能对每个人都很好，用来换取每个人也都对你很好，但是这种好是不够的……何况世上有几个人能你对他怎样，他就对你怎样呢？我就这么觉得。"

"深奥。"江清媛听不懂，继续吃鱼肉。

即使你能对每个人都很好，用来换取每个人也都对你很好，但是这种好是不够的……何况世上有几个人能你对他怎样，他就对你怎样呢？桑菀之在笑，"所以说我是一个大傻瓜。"

"我说错了你不要生气。"顾绿章微笑。

"绿章说话很有意思。"桑菀之给她夹了鱼排骨，"比以前不太熟的时候，多发现你很多优点。"

"是吗？"她轻轻叹了口气，"和人不熟的时候，我会说错话。"

"不会，绿章你很温柔。"

是吗？每个相识深了的人到最后都会说"绿章你很温柔"……

不过什么叫做"温柔"呢？发现别人心里的脆弱，逃避似的加以虚伪的安慰，就是大家都能接受又赞美的"温柔"啊……

被安慰了的心伤，它依然还在，只不过掩耳盗铃地把它又捂了一下，这种温柔……纵容的只是软弱。

突然有些冲动想说"小桑你面对现实，不要再自欺欺人了好吗？别再一次又一次地对陌生人好，别再在男人身上寻找安全感，你勇敢一点自信一点，寻找一个精神寄托比寻找一个男人更能支持你活着、更能让你快乐……"

但是看着小桑风情万种带笑的眼睛，她最终什么也没说出口，害怕……始终害怕重伤精致如花的他。

要怎么做……才能救他？她心里泛起了一种浮躁的情绪，她一定要想个办法，让他知道世界上能给人安定感的东西，不一定是成熟的男人。

我……也可以做你的浮木啊，小桑，虽然我自己对于未来也很迷茫，但是至少我会努力往前走，并且……我要做到无论在什么时候、无论是悲伤还是快乐，都是一个能给人归宿感的人，就像——国雪一样！

我要坚强、要勇敢。

我要做小桑的浮木。

我要做他期待中的那座大山。

江清媛吃豆花活鱼吃了一半，抬头一看，这两个人又在互相凝视了——还说没有暧昧关系？仔细看看，桑菀之的眼神过于老练复杂她看不懂，绿章的眼神看起来就像决定了什么，本就温柔，又似乎宽厚稳定了很多。

周身流的血仿佛冷却了下来，他看着顾绿章温柔坚定也宽厚清澈的眼神，绿章……如果我还没有糜烂，也许真的……人生会不一样。

可是你不懂……当一个人的灵魂被玷污了以后，那是怎么洗都洗不干净的；就像射出去的箭，只能往前飞，不管它的方向究竟偏离到了什么地步，都不可能退回来重新开始。

我……不能再爱女孩子了……

所以相信过很多谎言，只因为我不得不在没有承诺的世界里寻找承诺。

所以一旦伤了心，比失恋的女孩更痛苦……

绿章……

你不懂的。

"仕女花瓶送到了？"

唐草薇回到异味馆的时候，李凤宸正在收拾东西，他整理了一些清洁用品放在手推车上，正准备出门。

"嗯。"唐草薇看了他一眼，"去哪里？"

"去小桑家。"李凤宸微笑，"我晚上不回来吃饭，你做好料理以后，碗就放在洗碗池里面。对了，料理的垃圾不要到处乱丢，我在案板上放了一个小盒子上面有保鲜袋，你把垃圾放在那里面。"

"嗯。"唐草薇闭目从他身前走过，坐到了他常坐的那张太师椅上。

"还有，"李凤宸继续微笑，他已经收拾好东西准备推车离开了，"你知道料理的材料在哪里吗？"

"……"

"西红柿在冰箱里，洋葱和土豆在案板下面的抽屉里。"

"去吧，真啰嗦。"唐草薇闭着眼睛倚靠在太师椅笔挺的靠背上，挥了挥手指。

"热水器的温度我已经调节到六十五度，绝对不会烫伤。还有——从外面走进来的时候要换鞋子。"李凤宸推着

手推购物车出去了，"虽然红砖地看不出来，不过的确是有灰尘留下的。"

"……"唐草薇充耳不闻。

李凤宸把异味馆的门带上，双手推着购物车，上面整齐地排满了各种各样的洗涤剂、除污剂、脱胶剂、大刷子、小刷子、中刷子、扫把、拖把、抹布。清洁用品下面是铁钳、螺丝刀、铆钉铁钉等等修理工具。

此外购物车的把手上挂着两个大塑料袋，一个装的是蔬菜水果，另一个装的是围裙、拖鞋、手套等等清洁衣物。

然后李凤宸很轻松地到了桑菟之家，进门前先换上拖鞋围裙，戴上手套，开始整理桑菟之家满地狼藉的生活用品。

十五分钟后……庭院地上乱七八糟不可忍受的东西都规规矩矩地去了它们该去的地方。

再过十五分钟……

屋子里被整理得干干净净，过期和没用的东西都给李凤宸丢出桑菟之的院子去了。

半个小时以后……桌椅亮晶晶。

李凤宸开始冲洗地板和庭园，倒上各种各样的洗涤剂，用力地刷地板。

再十五分钟……

桑菟之家浑然变成了一个干净整洁的地方，桌椅虽然破旧却闪闪发光，东西不多，井井有条。李凤宸却还没有忙完，他收起清洁用具，拿出五金设备，先修好桑苋之家的热水器，然后把他家某些破旧水管和坏了的水龙头都换了。最后才从购物车底下搬出一台电磁炉灶，拿出新鲜干净的蔬菜水果，开始准备晚餐。

切、配、炒、熘、炸、炖……

浓郁的香气从桑苋之家里冒了出来。

❋　　　　❋　　　　❋

异味古董咖啡馆。

唐草薇做完了晚饭，回了自己房间休息。

一楼。

厨房。

被剥下的洋葱皮遍地都是，擦手的纸巾也丢得遍地都是，吃过的餐盘餐具全都搁在大厅的桌上。刀在案板上和没有切完的萝卜放在一起。

浴室。

浴池里放着六十五摄氏度的热水，冒着腾腾热气——只有热水阀开着，冷水阀却没开。

过了十分钟……

唐草薇起床下楼来看水变凉一点没有……

再过十分钟……

如此情景重复……

三十分钟后，他洗澡的时候觉得水太凉了。

※　　　　※　　　　※

桑菟之、顾绿章和江清媛吃完午饭后去中华南街逛了逛，然后送江清媛回宿舍，回来的时候才嗅到浓郁的饭菜香。

还有箫声。

顾绿章的眼睫毛微微一动。

吹的一首是《浣溪沙》，不过这曲中究竟述说的是哪一种的恩怨情缠，除了吹箫的人，又有谁会知道？

推开门，院子里坐在钢琴椅上吹箫的正是李凤宸。

箫声停止，李凤宸徐徐站起衣背挺直的样子，让桑菟之和顾绿章都有种"卓尔不群"的感觉，但他说话却说得很温和典雅，"汤快要好了，等一等。"

"怎么想到要到这里来整理？"顾绿章实在很讶然，虽说李凤宸和桑菟之很熟，但整理这院子实在是个浩大的工程，李凤宸他……为什么？

"想请两位做件事。"李凤宸微笑，"也是草薇想说的，有件事想请顾姑娘帮忙。"

"什么事？"她心里微微沉了一下，唐草薇……

"关于出售给钟商大学的花瓶。"李凤宸的语调清雅，不疾不徐，非常有耐心，"那对花瓶上本来封着灵，但是一个星期前九尾狐到异味馆的时候弄破了封印，灵跑出来了。"

　　"灵？"

　　"嗯，一个灵，叫做女肠。"李凤宸微笑说，"这个灵不管附在哪里，擅招爱慕。不过这灵是个草灵，虽然不是恶灵，却会损害爱人的健康。现在这个灵附在……"

　　"张缈身上？"她脱口而出。

　　李凤宸点头，"花瓶因为有女肠才招人喜欢，草薇不希望毁掉古董的灵性，所以……"

　　"我要怎么做才能让沈方清醒？"她一下理解了李凤宸的意思，"怎么做才能把女肠拿回来？"

　　"让沈方爱上别人，女肠失去爱人就会离体，要沈方拒绝她的爱情。"李凤宸说的时候微笑得越发温雅宽厚，绝对无害，"到时候它就会回花瓶来了。"

　　要沈方拒绝张缈的爱？顾绿章轻叹了口气，"感情的事不是别人能说了算的，不过我会努力劝他的。"这事很荒诞，不过经历过明紫的事，她不怀疑李凤宸会欺骗她。

　　"顾姑娘，"李凤宸说，"别人去说也许没有效果，但是你去说，沈方应该会听你的。"

　　"为什么？"她不解。

"因为你是国雪的女朋友，"李凤宸温和地说，"在沈方心里，你是他的责任。"

"是……吗……"她笑得有些僵。

"还有小桑也一样。"李凤宸转过头对着桑菟之微笑，"在沈方心里，小桑也是他的责任。"

桑菟之眼睛笑着，垂下眼睛看地板。

"拜托了。"

❋   ❋   ❋

那一夜，异味古董咖啡馆。

"唉呀呀……"李凤宸回到咖啡馆就看到了满地狼藉，摇了摇头，着手开始收拾。

收拾垃圾、洗碗、拖地……

在最后拧拖把的时候，右手一松，拖把跌在地上，幸好拧干了没有水溅四周。

李凤宸握住了自己的右腕。

手腕……

"辛苦了。"二楼传来唐草薇冷漠也深沉平静的声音。

他抬头一看，"唉呀呀，怎么了？"

"洗澡的时候，水太冷了。"唐草薇颈上有一片烫伤的痕迹，微微闭目说。

　　李凤宸轻轻叹了口气，"你啊你，要加热水的时候，记得调水温。"

✲　　　✲　　　✲

　　那夜桑菟之在家里过了最美好的一个晚上，虽然一个星期以后家里又变得和原来差不多，但至少热水器一直没坏，他不用再去沈方的宿舍洗澡了。

　　关于附在张缈身上的灵，绿章说她和张缈聊过天了，一点也没有觉得她有什么异常。她喜欢沈方那是从大一就开始喜欢的，又不是前几天突然喜欢的。

　　难道李凤宸只不过是开个玩笑而已？

　　如果不是的话，那这个古怪的女肠，究竟哪里去了？

（第一集完）

图书在版编目(CIP)数据

中华异想集·马腹/藤萍著． —南宁：广西人民出版社，2005.9

ISBN 7 – 219 – 05420 – 3

Ⅰ. 中… Ⅱ. 藤… Ⅲ. 短篇小说 – 作品集 – 中国 – 当代

Ⅳ. I247.7

中国版本图书馆 CIP 数据核字(2005)第 095345 号

策　　划：彭庆国　　责任编辑：杨　冰　李　洁　郑　洁

特约编辑：罗嘉恒　　装帧设计：彭　鹤　易　莎

中 华 异 想 集 · 马 腹
ZHONGHUA　YIXIANGJI · MAFU

出 版 发 行：广 西 人 民 出 版 社

(邮政编码:530028　南宁市桂春路 6 号)

印　刷:广州市番禺新华印刷有限公司

开　本:787×1230 毫米　1/32 开

印　张:6.5

字　数:100 千字

版　次:2005 年 10 月　第 1 版

印　次:2005 年 10 月　第 1 次印刷

书　号:ISBN 7 – 219 – 05420 – 3/I · 855

定　价:16.00 元